Les
Barbecues
de
Sophie

Bientôt la Maison de Sophie en Normandie !...

Mise en page : Natacha Marmouget

Connectez-vous sur :
www.lamartiniere.fr

© 2003 Éditions Minerva, Genève (Suisse)
ISBN : 2-8307-0695-1

Sophie Dudemaine

Les Barbecues de Sophie

Photographies
Philippe Exbrayat

Minerva

Sommaire

Les conseils de Sophie

Le choix du bon barbecue : traditionnel, électrique ou à gaz...

Rien ne vaut le charme des grillades cuites sur les braises d'un barbecue traditionnel (Barbecue one-Touch de Weber) ou d'une cheminée !
Pour rendre facile l'allumage du barbecue traditionnel, pensez aux allume-feu et aux petits sacs contenant des briquettes de charbon de bois ou de bois à allumage instantané (Feudor).
Pensez à l'allumer 2 heures à l'avance afin d'obtenir suffisamment de braises.

Le barbecue électrique (Barbecue Tefal Performio, Estivo, Sensano, Kalitis ou Masteris) est idéal pour les terrasses, balcons et vérandas.
Sa cuve à eau récupère les graisses, ce qui limite considérablement la fumée et les mauvaises odeurs. Et pas besoin d'allume-feu.
Pensez à l'allumer 30 minutes à l'avance.

Le barbecue à gaz (RBS Woody, Azzuro ou Grilladero de Campingaz) n'ayant pas besoin de prise électrique, il peut se poser dans le jardin. De plus, il est muni d'un couvercle qui le transforme en four.
Pensez à l'allumer 15 minutes à l'avance.

Il existe aussi des barbecues de table très efficaces (Tefal).

Si vous ne possédez pas de barbecue, utilisez pour toutes les recettes de ce livre votre four en position gril.

Les accessoires indispensables

Utilisez une grille double ou un panier pour cuire toutes vos viandes, vos poissons et vos brochettes, ce qui vous permettra de les retourner facilement sans les briser (Mathon, Weber, Ruecab).

Préférez les brochettes plates aux rondes. Elles empêchent les aliments de pivoter sur la broche. Les brochettes double tige sont très pratiques pour mieux retenir les aliments et les retourner facilement (Campingaz, Weber ou Francis Batt pour ses piques à maïs). Dans tous les cas, achetez des brochettes suffisamment longues avec un manche en bois pour éviter de vous brûler.
Quant aux brochettes en bois ou en bambou, utilisez-les de préférence pour les barbecues électriques ou à gaz et faites-les tremper dans l'eau 30 minutes

minimum pour éviter qu'elles ne brûlent. Les aliments glisseront plus facilement sur ce type de brochettes.

Des instruments à long manche et des gants isolants vous éviteront de vous brûler (Mastrad ou gants de fer le Creuset).

Une bonne mise en place comprend un pinceau pour badigeonner, un tablier, un torchon, une planche à découper, un couteau à découper, du papier d'aluminium pour envelopper et laisser reposer les grosses pièces de viandes après la cuisson, un plat de service, du gros sel, du poivre et un bol d'eau pour vous rincer les mains.

Il est bon d'avoir une desserte ou une table près de votre barbecue : on n'a jamais trop de surface de travail quand on cuisine…

Une glacière remplie de glaçons dans le jardin sera la bienvenue pour garder au froid toutes vos boissons.

La préparation

Évitez les marinades trop longues pour les poissons car elles ont tendance à cuire la chair. En revanche, une pièce de viande ou de volaille supporte une marinade plus longue (48 heures au réfrigérateur).

Dans tous les cas, pensez à sortir les aliments du réfrigérateur 1 heure avant la cuisson.

Si vous avez préparé votre sauce à l'avance, sortez-la du réfrigérateur pour qu'elle soit servie à température ambiante.

Pensez à une barbecue-party, demandez à vos invités de créer eux-mêmes leurs brochettes avec des cubes de poissons, des crevettes, de la viande, des tomates, des poivrons, des champignons, des petits oignons… le tout accompagné d'herbes et d'huile d'olive.

Le barbecue peut être un excellent mode de cuisson diététique. Dans ce cas, oubliez l'huile et le beurre. Pensez aux marinades à la moutarde, à la tomate ou au citron, par exemple. Pour les sauces, optez pour le yaourt ou le fromage blanc. Et n'oubliez pas d'ajouter les herbes que vous désirez.

La sécurité

Placez le barbecue à l'abri du vent et loin de tout ce qui peut prendre feu. Vérifiez bien sa stabilité.

Ne vous en éloignez pas pendant qu'il fonctionne.

N'utilisez jamais d'alcool à brûler pour raviver les flammes. Pensez aux blocs allume-feu.

Pour éteindre les flammes qui montent trop haut ou atténuer la température, jetez une poignée de gros sel sur les braises ou arrosez-les avec un vaporisateur d'eau. Pour augmenter la température, rajoutez tout simplement du charbon ou du bois en soufflant sur les braises pour raviver la combustion.

Ne videz jamais les cendres du barbecue dans un sac poubelle ou en plastique car les cendres restent chaudes très longtemps. Assurez-vous qu'elles sont bien refroidies avant de les jeter.

La cuisson

Pour parfumer les braises, ajoutez des sarments de vigne, du bois de hêtre, de noyer, des pommes de pin ou des épines de pin.
Pour accentuer le parfum des herbes aromatiques, saupoudrez les braises de thym, de romarin, de laurier, de fenouil ou de cannelle.

La bonne température du barbecue est atteinte lorsque la chaleur vous empêche d'approcher la main de la grille.

N'oubliez pas de préchauffer la grille avant de déposer les aliments.

La grille ne doit pas servir à cuire une viande après un poisson, nettoyez-la entre les deux opérations. C'est la partie du barbecue qui entre directement en contact avec les aliments. Pas besoin de la nettoyer au savon, il suffit de la faire chauffer au contact des flammes afin de la stériliser et de détacher les aliments incrustés, puis de la brosser tout simplement. Froissez des feuilles de papier d'aluminium en grosses boules et utilisez-les pour frotter et nettoyer la grille. Vous pouvez aussi acheter une brosse métallique.

Ne piquez jamais une viande avec une fourchette en cours de cuisson mais préférez des pinces. Ainsi la graisse ne s'enflamme pas en retombant et on évite que la viande ne se vide de son sang.

Pour parfumer des grillades de viandes, utilisez un pinceau improvisé avec des branches de thym, de laurier et de romarin attachées ensemble. Trempez ce pinceau d'herbes dans la marinade ou l'huile de votre choix et badigeonnez-en la viande pendant sa cuisson.

Les petites pièces ou les brochettes doivent être saisies rapidement à proximité des braises. Les grosses pièces doivent cuire plus doucement et longtemps, éloignées des braises.

Les temps de cuisson indiqués dans toutes mes recettes de viandes rouges sont pour des cuissons saignantes.

Poivrez les viandes à deux reprises, avant de les mettre sur la grille, puis en fin de cuisson. Par contre, salez les aliments avec de la fleur de sel en fin de cuisson afin d'éviter de faire saigner les viandes, ce qui les rendrait sèches et dures.

Quelques suggestions de menus

MENU COPAIN
Côte de bœuf (p. 17)
Pommes de terre à la braise (p. 109)
Camembert à la braise (p. 129)
Salade verte
Bananes au chocolat (p. 145)

MENU CLASSIQUE
Gigot d'agneau en croûte d'herbes (p. 19)
Légumes grillés à la fleur de sel (p. 101)
Salade Cæsar (p. 125)
Brochettes de crottins de chèvre (p. 134)
Brochettes d'abricots (p. 142)

MENU RAFFINÉ
Brochettes de Saint-Jacques (p. 60)
Homard grillé (p. 64) ou saumon à la coque (p. 77)
Salade de riz aux tomates confites (p. 119)
Œufs à la neige

MENU LÉGER
Huîtres à la braise (p. 59)
Pavés de cabillaud panés (p. 83)
Salade de champignons au sésame (p. 120)
Pommes à la cannelle (p. 150)

MENU ENSOLEILLÉ
Brochettes de thon au chorizo (p. 73)
Sardines grillées farcies (p. 74) ou rougets à la sauge (p. 75)
Champignons farcis à la ratatouille (p. 107)
Salade verte
Pêches farcies aux fruits secs (p. 151)

MENU RÉGIONAL
Choucroute au barbecue (p. 95)
Pommes de terre à la braise (p. 109)
Vacherin à la braise
Glaces et sorbets

MENU SAVOYARD
Brochettes de cake aux quatre fromages (p. 137)
Tartiflette en papillote (p. 133)
Salade verte
Fromage blanc et confiture de myrtilles

MENU ITALIEN
Rouleaux de mozzarella farcis (p. 136)
Brochettes d'escalope de veau au bayonne (p. 33)
Tagliatelles
Tiramisu

MENU INDIEN
Salade de carottes aux raisins et aux noix (p. 115)
Poulet tandoori (p. 47)
Riz basmati
Cheese naans (p. 132)
Pommes à la cannelle (p. 150)

MENU ASIATIQUE
Brochettes de gambas (p. 69)
Travers de porc caramélisés (p. 37)
Salade de riz aux tomates confites (p. 119) ou riz nature
Ananas entier à la vanille (p. 141) ou salade de mangue

MENU EXOTIQUE

Brochettes de gambas (p. 69)
Soles tahitiennes (p. 76)
Riz créole
Brochettes des îles au coco (p. 143)

MENU ENFANTS 1

Macédoine de saucisses en brochettes (p. 94)
Pommes de terre à la braise (p. 109)
Cheese naans (p. 132)
Bananes au chocolat (p. 145)

MENU ENFANTS 2

La reine des pizzas (p. 89)
Burgers (p. 18)
Frites
Glaces

VIANDES ROUGES

Côte de bœuf

Pour 6 personnes

2 côtes de bœuf de 1 kg chacune
2 cuillerées à soupe d'huile
de tournesol
2 cuillerées à soupe d'herbes
de Provence
fleur de sel
poivre du moulin

Pour la sauce bordelaise :

4 échalotes
20 cl de vin rouge
1 cuillerée à soupe de crème
fraîche épaisse
250 g de beurre
sel
poivre

Sortez les côtes de bœuf au moins 2 heures à l'avance du réfrigérateur, de façon qu'elles soient à température ambiante au moment de la cuisson.

Dans un bol, versez l'huile et les herbes. Mélangez et, à l'aide d'un pinceau ou de vos mains préalablement lavées, badigeonnez les côtes de ce mélange. Poivrez-les de chaque côté.

Déposez les côtes de bœuf sur la grille et laissez-les griller 7 à 10 minutes de chaque côté.

Laissez reposer la viande 5 minutes hors du feu dans une feuille de papier d'aluminium avant de la découper. Parsemez de fleur de sel.

Pendant la cuisson des côtes, préparez la sauce. Hachez finement les échalotes et déposez-les dans une petite casserole avec le vin. Salez et poivrez légèrement. Faites réduire le tout sur feu moyen environ 5 minutes jusqu'à ce que le vin se soit évaporé. Sur feu doux, ajoutez la crème et mélangez à l'aide d'un fouet. Ajoutez alors le beurre par petits morceaux sans cesser de fouetter. Rectifiez l'assaisonnement et gardez au chaud au bain-marie.

LES PLUS

J'accompagne généralement la côte de bœuf de pommes de terre à la vapeur et d'une salade.

Vins rouges conseillés : côtes-de-castillon, saint-émilion ou chiroubles.

Burgers

Pour 6 personnes

900 g de bœuf haché
70 g de gruyère râpé
1 oignon
1 cuillerée à soupe de persil haché
1 cuillerée à café de paprika
2 cuillerées à soupe d'huile
de tournesol
6 pains ronds à hamburger
50 g de beurre fondu
sel
poivre

Pour la garniture :
12 feuilles de laitue
12 rondelles de tomates
ketchup
mayonnaise (voir p. 69)

Épluchez et émincez l'oignon en fines tranches. Dans un saladier, mettez la viande, le gruyère, l'oignon, le persil et le paprika. Assaisonnez. Divisez le mélange en six. Façonnez des boulettes en les aplatissant avec la main pour obtenir des hamburgers de 1,5 centimètre d'épaisseur. Mettez-les sur un plat, couvrez-les et conservez-les au congélateur pendant 1 heure.

Huilez les hamburgers et déposez-les sur la grille. Faites-les cuire 5 à 7 minutes de chaque côté.

Badigeonnez l'intérieur des pains de beurre fondu et, 1 minute avant la fin de cuisson de la viande, grillez-les côté mie sur la grille.

Assemblez les hamburgers en mettant sur chaque demi-pain une feuille de laitue, une rondelle de tomate, la viande, le ketchup et la mayonnaise. Finissez par une rondelle de tomate et une feuille de laitue. Couvrez avec l'autre moitié de pain et servez immédiatement.

LES PLUS

J'accompagne généralement le burger de pommes de terre sautées ou de frites et d'une salade.
Vin rouge conseillé : *gamay de Touraine.*

Gigot d'agneau en croûte d'herbes

Pour 6 personnes

1 gigot d'agneau de lait
de 2,400 kg
fleur de sel

Pour la chapelure aux herbes :
12 cuillerées à soupe d'huile d'olive
6 cuillerées à soupe de chapelure
2 cuillerées à soupe de thym
2 cuillerées à soupe d'origan
2 cuillerées à soupe de persil haché
poivre du moulin

Pour la sauce tomate sucrée :
1 petite boîte de pulpe de tomates
en dés
2 cuillerées à soupe d'huile d'olive
1 oignon
1 cuillerée à soupe de sucre
2 cuillerées à soupe de sirop d'érable
sel
poivre

Sortez le gigot d'agneau au moins 2 heures à l'avance du réfrigérateur, de façon qu'il soit à température ambiante au moment de la cuisson.

Dans un bol, mélangez l'huile, la chapelure et les herbes. Poivrez. À l'aide d'un pinceau ou de vos mains préalablement lavées, badigeonnez le gigot de ce mélange en en réservant un peu.

Déposez le gigot sur la grille et laissez-le cuire environ 1 heure à 1 heure 30 en le retournant fréquemment. Arrosez-le en cours de cuisson du mélange d'huile et de chapelure restant.

Laissez reposer la viande 10 minutes hors du feu dans une feuille de papier d'aluminium avant de la découper. Parsemez de fleur de sel.

Pendant la cuisson du gigot, préparez la sauce. Dans une casserole, versez l'huile avec l'oignon préalablement haché. Laissez revenir le tout pendant 2 minutes à feu doux. Ajoutez le sucre puis le sirop d'érable. Remuez et ajoutez pour finir les tomates. Assaisonnez. Laissez mijoter à feu doux le temps de la cuisson du gigot.

LES PLUS

J'accompagne généralement le gigot d'une purée de haricots verts ou de pommes de terre et d'une salade.

Vins rouges conseillés : *côtes-du-roussillon, médoc ou graves.*

Entrecôte au roquefort

Pour 6 personnes

2 entrecôtes de 500 g chacune
2 cuillerées à soupe d'huile
de tournesol
2 cuillerées à soupe de moutarde
forte
fleur de sel
poivre du moulin

Pour la sauce roquefort :

150 g de beurre mou
150 g de roquefort
4 cuillerées à soupe de cognac
sel
poivre

Sortez les entrecôtes au moins 2 heures à l'avance du réfrigérateur, de façon qu'elles soient à température ambiante au moment de la cuisson.

Dans un bol, mélangez l'huile et la moutarde. Poivrez. À l'aide d'un pinceau ou de vos mains préalablement lavées, badigeonnez les entrecôtes de ce mélange.

Déposez les entrecôtes sur la grille et faites-les griller 10 à 15 minutes en les retournant fréquemment.

Laissez reposer la viande 5 minutes hors du feu dans une feuille de papier d'aluminium avant de la découper. Parsemez de fleur de sel.

Pendant la cuisson des entrecôtes, préparez la sauce. Dans un bol, malaxez le beurre, le roquefort émietté et le cognac, jusqu'à ce que le mélange soit lisse. Assaisonnez.

Tartinez-en les entrecôtes.

LES PLUS

J'accompagne généralement ces entrecôtes d'une salade de pâtes ou d'un gratin dauphinois.

Vins rouges conseillés : saint-émilion ou cahors.

Bavette d'aloyau à l'échalote

Pour 6 personnes

900 g de bavette d'aloyau
2 cuillerées à soupe d'huile
de tournesol
fleur de sel
poivre du moulin

Pour la sauce à l'échalote :
10 échalotes
5 cuillerées à soupe d'eau
100 g de beurre
sel
poivre

Sortez la bavette au moins 2 heures à l'avance du réfrigérateur, de façon qu'elle soit à température ambiante au moment de la cuisson.

Entaillez la bavette à l'aide d'un petit couteau en quatre endroits, pour éviter que la chair ne se resserre à la cuisson. Badigeonnez-la d'huile. Poivrez.

Déposez la bavette sur la grille et faites-la griller environ 20 minutes en la retournant fréquemment.

Laissez reposer la viande 5 minutes hors du feu dans une feuille de papier d'aluminium avant de la découper. Parsemez de fleur de sel.

Pendant la cuisson de la bavette, préparez la sauce. Pelez et émincez très finement les échalotes. Mettez-les dans une casserole avec l'eau et laissez-les fondre 5 minutes à feu doux. Salez et poivrez. Ajoutez le beurre en morceaux sans cesser de remuer. Gardez au chaud au bain-marie.

LES PLUS

J'accompagne généralement la bavette de champignons farcis à la ratatouille ou d'une purée de pommes de terre avec une salade.
Vins rouges conseillés : chinon, cornas ou hautes-côtes-de-nuits.

Brochettes de boulettes panées

Pour 6 personnes

Pour les boulettes de bœuf :
500 g de bœuf haché
1 oignon
1 cuillerée à soupe d'huile d'olive
1 cuillerée à soupe de persil haché
1 cuillerée à café de cumin
en poudre
1 œuf
50 g de chapelure
sel
poivre

Pour les boulettes d'agneau :
500 g d'épaule d'agneau
50 g de beurre fondu
1 gousse d'ail
1 cuillerée à soupe de coriandre
hachée
1 œuf
50 g de chapelure
sel
poivre
raisins secs blonds et noirs

Coupez l'oignon en petits morceaux et faites-le revenir dans une poêle avec l'huile. Dans un saladier, mélangez le bœuf haché avec l'oignon, le persil, le cumin et l'œuf entier. Assaisonnez.

Épluchez l'ail et émincez-le. Coupez l'agneau en gros cubes et hachez-le au mixeur ou au hachoir électrique. Dans un saladier, mélangez l'agneau haché avec le beurre fondu, la gousse d'ail, la coriandre et l'œuf entier. Assaisonnez.

Préparez les boulettes. Tassez la viande dans la main afin de former vingt-quatre boulettes de la taille d'un œuf. Roulez-les dans la chapelure.

Glissez deux boulettes de bœuf et deux boulettes d'agneau sur chaque brochette en intercalant quelques raisins secs blonds et noirs. Mettez-les sur un plat, couvrez-les et conservez-les au congélateur pendant 1 heure.

Déposez-les sur la grille et laissez-les cuire environ 5 à 8 minutes en les retournant fréquemment.

LES PLUS

J'accompagne généralement ces boulettes de graine de couscous avec des pois chiches, d'une purée d'oignons et d'une ratatouille.

Vins conseillés : *côtes-de-provence rosé, tavel ou boulaouane.*

Brochettes de filet de bœuf

Pour 6 personnes

900 g de filet de bœuf

Pour la marinade au vin rouge :
1/2 litre de vin rouge de Bourgogne
3 cuillerées à soupe de moutarde forte
2 cuillerées à soupe d'huile
de tournesol
1 oignon rouge
1 feuille de laurier
1 branche de thym
sel
poivre

**Pour la sauce à la tomate
et aux raisins secs :**
1 petite boîte de pulpe de tomates
en dés
2 cuillerées à soupe de sucre
3 cuillerées à soupe de raisins secs
1 cuillerée à café de gingembre
en poudre
1 pincée de piment d'Espelette
sel
poivre

Découpez le filet de bœuf en cubes de 2 centimètres de côté. Mettez-les dans un plat creux. Badigeonnez les morceaux de moutarde et ajoutez l'huile, le vin, l'oignon émincé, le laurier et le thym émietté. Salez et poivrez. Mélangez. Couvrez et laissez mariner à température ambiante pendant 1 heure.

Égouttez la viande. Répartissez-la sur six brochettes et déposez-les sur la grille. Faites-les cuire pendant 5 à 8 minutes en les retournant fréquemment.

Pendant la cuisson des brochettes, préparez la sauce. Dans une casserole, versez la pulpe de tomates, le sucre et les raisins. Assaisonnez. Laissez mijoter à feu doux le temps de la cuisson des brochettes. À la fin, ajoutez le gingembre et le piment d'Espelette, et assaisonnez.

Cette sauce peut se préparer à l'avance et se déguster froide.

LES PLUS

J'accompagne généralement ces brochettes de haricots verts légèrement sautés à la poêle avec une noisette de beurre, et d'une salade verte.
Vins rouges conseillés : pomerol, gigondas ou côte rôtie.

Brochettes de mutton-chops au pesto

Pour 6 personnes

6 mutton-chops de 200 g chacun
ou 12 côtelettes d'agneau

Pour la marinade au pesto :
10 cl d'huile d'olive
1 petit bouquet de basilic
2 gousses d'ail
60 g de parmesan
30 g de pignons de pin
sel
poivre

Dans le bol du mixeur, mettez l'huile, les feuilles de basilic, les gousses d'ail épluchées, le parmesan et les pignons de pin. Assaisonnez. Mixez le tout pendant 30 secondes.

Dans un plat creux, déposez les mutton-chops, incisez-les en quatre endroits et badigeonnez-les de pesto de chaque côté. Couvrez et laissez mariner 1 heure à température ambiante.

Égouttez les mutton-chops et récupérez la marinade. Insérez-les sur une brochette et déposez-les sur la grille. Faites-les cuire 10 à 15 minutes en les retournant fréquemment. Badigeonnez de marinade en cours de cuisson.

 LES PLUS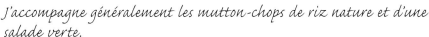

J'accompagne généralement les mutton-chops de riz nature et d'une salade verte.
Vins rouges conseillés : *haut-médoc ou corbières.*

VIANDES BLANCHES

Brochettes de porc aux pruneaux

Pour 6 personnes

600 g de filet de porc
18 pruneaux dénoyautés
18 fines tranches de lard fumé

Pour la marinade au porto :
5 cl de porto
2 cuillerées à soupe d'huile
de tournesol
1 cuillerée à café de sarriette
sel
poivre

Découpez le filet de porc en vingt-quatre cubes de 3 centimètres de côté. Enroulez les pruneaux avec les tranches de lard. Piquez les pruneaux lardés et les cubes de porc en les alternant sur six brochettes. Déposez-les dans un plat creux.
Dans un bol, mélangez l'huile avec le porto et la sarriette. Assaisonnez et versez la marinade sur les brochettes. Couvrez et laissez mariner dans un endroit frais pendant 1 heure.
Égouttez les brochettes et déposez-les sur la grille. Faites-les cuire pendant 15 à 20 minutes en les retournant fréquemment.

LES PLUS

Je sers généralement ces brochettes accompagnées d'un vieux porto en guise d'apéritif.
Vins rouges conseillés : bourgueil ou fitou.

Brochettes d'échine de porc

Pour 6 personnes

6 côtelettes d'échine de porc

**Pour la marinade et la sauce
au miel et à l'orange :**
4 cuillerées à soupe de miel
2 cuillerées à café de moutarde
forte
le jus de 2 oranges

2 cuillerées à soupe d'huile
de tournesol
4 cuillerées à soupe de vinaigre
de vin
1 échalote
1 brin de romarin
sel
poivre

Découpez les côtelettes en cubes de 3 centimètres de côté. Déposez-les dans un plat creux.

Dans un bol, mélangez le miel avec la moutarde, le jus d'orange, l'huile, le vinaigre, l'échalote épluchée et émincée et le romarin émietté. Assaisonnez. Versez la marinade sur les morceaux de viande. Couvrez et laissez mariner pendant 1 heure dans un endroit frais.

Égouttez les morceaux de porc tout en gardant la marinade. Piquez-les sur six brochettes. Déposez-les sur la grille et faites-les cuire pendant 15 à 20 minutes en les retournant fréquemment.

Pendant ce temps, versez le reste de la marinade dans une casserole et faites réduire de moitié. Gardez cette sauce au chaud sur feu très doux.

LES PLUS

J'accompagne généralement ces brochettes de semoule ou de riz.
Vin blanc conseillé : côtes-du-jura.

Brochettes d'escalope de veau au bayonne

Pour 6 personnes

6 escalopes de veau
6 tranches fines de jambon
de Bayonne
125 g de mozzarella
12 tomates cerises
2 cuillerées à soupe d'huile d'olive
sel
poivre

Aplatissez bien les escalopes de veau à l'aide d'un rouleau à pâtisserie. Salez et poivrez.

Sur chaque escalope, déposez une tranche de jambon et une tranche de mozzarella. Roulez-les sur elles-mêmes et piquez-les sur les brochettes afin de les maintenir de chaque côté. Enfilez à chaque bout des brochettes une tomate cerise. Badigeonnez chaque roulé d'escalope avec un peu d'huile et faites-les cuire sur la grille 20 minutes en les retournant fréquemment.

 LES PLUS

J'accompagne généralement ces brochettes d'une sauce tomate sucrée (voir p. 19) et de tagliatelles.
Vin rouge conseillé : *côtes-du-rhône.*

Brochettes de lapin

Pour 6 personnes

6 râbles de lapin
1 kg de pommes de terre
(grenaille ou ratte)
1 aubergine
6 cuillerées à soupe d'huile d'olive
fleur de sel

**Pour la marinade au citron
et à la moutarde :**
1 cuillerée à café de moutarde forte
4 cuillerées à soupe d'huile d'olive
le jus de 1 citron
1 brin de thym
sel
poivre

Découpez les râbles de lapin en quatre. Déposez-les dans un plat creux.

Dans un bol, mélangez la moutarde, l'huile, le jus de citron et le thym émietté. Assaisonnez. Versez sur les morceaux de lapin. Couvrez et laissez mariner pendant 1 heure dans un endroit frais.

Pendant ce temps, lavez les pommes de terre et faites-les cuire pendant 10 minutes à la vapeur ou à l'eau. Égouttez-les et laissez-les refroidir.

Coupez l'aubergine en fines rondelles et faites-les sauter dans une poêle avec l'huile pendant 5 minutes à feu moyen. Ajoutez de l'huile si nécessaire. Égouttez les rondelles d'aubergine et épongez-les avec du papier absorbant.

Égouttez les morceaux de lapin tout en gardant la marinade. Piquez sur six brochettes les morceaux de râbles de lapin, les pommes de terre et les rondelles d'aubergine tout en les alternant.

Déposez les brochettes sur la grille et faites-les cuire pendant 15 minutes en les retournant fréquemment et en les badigeonnant du reste de marinade. Parsemez de fleur de sel.

LES PLUS

J'accompagne généralement ces brochettes d'une salade de mâche.
Vins conseillés : côtes-de-blaye blanc ou morey-saint-denis rouge.

Côte de veau à l'estragon

Pour 6 personnes

2 côtes de veau de 1 kg chacune
2 cuillerées à soupe d'huile
de tournesol
fleur de sel
poivre

Pour la sauce à l'estragon :
3 branches d'estragon
125 g de beurre mou
150 g de crème fraîche épaisse
sel
poivre

Sortez les côtes de veau au moins 2 heures à l'avance du réfrigérateur, de façon qu'elles soient à température ambiante au moment de la cuisson.

À l'aide d'un pinceau ou de vos mains préalablement lavées, badigeonnez d'huile les deux côtes. Poivrez-les de chaque côté.

Ciselez les feuilles d'estragon et mélangez-les au beurre.

Déposez les côtes de veau sur la grille et laissez-les griller environ 15 minutes de chaque côté.

Laissez reposer la viande 5 minutes hors du feu dans une feuille de papier d'aluminium avant de la découper. Parsemez de fleur de sel.

Pendant le temps de repos des côtes, préparez la sauce. Mettez le beurre d'estragon dans une casserole. Une fois fondu, ajoutez la crème. Mélangez, assaisonnez et laissez mijoter 2 minutes à feu doux.

LES PLUS

J'accompagne généralement ces côtes de veau de champignons sautés ou de pommes reinettes coupées en quatre et dorées dans du beurre.

Vins conseillés : saint-estèphe, bourgueil rouge ou pinot blanc.

Travers de porc caramélisés

Pour 6 personnes

2 kg de travers de porc

Pour la marinade barbecue :
5 cuillerées à soupe de miel liquide
1 gousse d'ail
le jus de 1 citron
4 cuillerées à soupe de sauce soja
1 cuillerée à soupe de sauce
worcester

6 cuillerées à soupe de ketchup
4 cuillerées à soupe de xérès
1 cuillerée à soupe de sucre
semoule
1 cuillerée à soupe de mélange
cinq épices

Dans un bol, mélangez le miel, la gousse d'ail épluchée et écrasée, le jus de citron, la sauce soja, la sauce worcester, le ketchup, le sucre, le xérès et les cinq épices. Déposez les travers de porc dans un plat creux et, à l'aide d'un pinceau, badigeonnez-les de tous les côtés avec la marinade. Couvrez et laissez mariner 1 heure dans un endroit frais.

Égouttez la viande tout en récupérant la marinade et déposez-la sur la grille. Laissez cuire les travers de porc 45 minutes en les retournant fréquemment et en les badigeonnant du reste de marinade.

LES PLUS

J'accompagne généralement ces travers de porc de riz blanc.
Vin rouge conseillé : costières-de-nîmes.

Duo de brochettes de veau

Pour 6 personnes

600 g de sous-noix de veau
600 g de veau haché
1 jaune d'œuf
2 cuillerées à soupe de graines
de sésame
1 oignon
sel
poivre

Pour la marinade à l'armagnac :
1 oignon
1 gousse d'ail
5 cl d'armagnac
1 cuillerée à café de marjolaine
sel
poivre

Dans un saladier, mélangez le veau haché avec le jaune d'œuf, les graines de sésame et l'oignon épluché et finement haché. Assaisonnez et tassez la viande dans votre main afin de former douze boulettes de la grosseur d'un œuf. Glissez les boulettes de veau sur trois brochettes. Mettez-les sur un plat, couvrez-les et conservez-les au congélateur pendant 1 heure.

Découpez la sous-noix de veau en douze cubes de 3 centimètres de côté et mettez-les dans un plat creux. Dans un bol, mélangez l'oignon épluché et finement haché avec la gousse d'ail épluchée et écrasée, l'armagnac et la marjolaine. Assaisonnez. Versez la marinade sur les morceaux de viande. Couvrez et laissez mariner 1 heure dans un endroit frais. Égouttez et piquez les morceaux de viande sur trois brochettes. Déposez les brochettes de veau haché et les brochettes de veau mariné sur la grille et laissez cuire pendant 10 minutes en les retournant fréquemment.

LES PLUS

J'accompagne généralement ces brochettes d'une salade de pâtes aux courgettes et aux lardons (voir p. 113).
Vin rouge conseillé : bandol.

Carré de porc

Pour 6 personnes

1 carré de porc désossé de 1,200 kg
1 cuillerée à soupe de moutarde forte
4 cuillerées à soupe d'huile d'olive
1 cuillerée à café de paprika
le jus de 1 citron
1 brin de thym
sel
poivre

Pour la sauce à la menthe :

2 yaourts
1 petit oignon
1 pincée de sucre
1 dizaine de feuilles de menthe
sel
poivre

Déposez le carré de porc dans un plat creux. Dans un bol, mélangez la moutarde, l'huile, le paprika, le jus de citron et le thym émietté. Assaisonnez. Badigeonnez le carré de tous les côtés avec ce mélange. Couvrez et laissez reposer dans un endroit frais pendant 1 heure.

Égouttez le carré de porc et récupérez la moutarde puis déposez-le sur la grille. Faites-le cuire pendant 45 minutes en le retournant fréquemment et en le badigeonnant du reste de moutarde.

Laissez reposer la viande 5 minutes hors du feu dans une feuille de papier d'aluminium avant de la découper.

Pendant la cuisson du carré, préparez la sauce. Épluchez et émincez finement l'oignon. Ciselez les feuilles de menthe. Dans un bol, mettez l'oignon, les yaourts, le sucre et la menthe. Mélangez. Assaisonnez et réservez au frais jusqu'au moment de servir. Cette sauce peut se préparer à l'avance.

LES PLUS

J'accompagne généralement ce carré de taboulé, libanais de préférence.
Vins rouges conseillés : saint-chinian, corbières ou coteaux varois.

VOLAILLES

Brochettes de magret de canard

Pour 6 personnes

3 magrets de canard
1 grappe de raisins blancs
1 grappe de raisins noirs

Pour la marinade aux airelles :
1/2 litre de vin rouge (madiran
ou autre)
3 gousses d'ail
1 cuillerée à café de mélange
cinq baies
4 cuillerées à soupe d'airelles
poivre

Incisez les magrets, côté peau, en croisillons.

Dans un plat creux, déposez les magrets, ajoutez le vin, l'ail épluché et écrasé, le mélange cinq baies et les airelles. Poivrez et mélangez. Couvrez et laissez mariner 1 heure dans un endroit frais.

Égouttez et faites cuire les magrets sur la grille pendant 15 minutes en les retournant fréquemment.

Une fois cuits, découpez-les en lamelles et piquez-les sur des piques en bois entre deux grains de raisin.

LES PLUS

J'accompagne généralement ces magrets d'un chinon ou d'un bourgueil rouge en guise d'apéritif.

Vin rouge conseillé : cahors, madiran ou saint-joseph.

Pilons de poulet au beurre d'agrumes

Pour 6 personnes

24 pilons de poulet

Pour le beurre aux agrumes :
le zeste de 1 citron
le zeste de 2 oranges
250 g de beurre salé mou

Pour la marinade aux agrumes :
le jus de 2 citrons
le jus de 2 oranges
2 pincées de gingembre en poudre
sel
poivre

Préparez le beurre. Faites blanchir les zestes 1 minute à l'eau bouillante. Égouttez-les et laissez-les refroidir. Dans un bol, malaxez les zestes avec le beurre. Posez le beurre sur une feuille de film alimentaire et enroulez-le dedans comme un saucisson pour lui donner une forme. Faites-le durcir au réfrigérateur jusqu'au moment de servir.

Dans un plat creux, mettez les pilons de poulet. Versez par-dessus le jus de citron, le jus d'orange et le gingembre. Assaisonnez. Couvrez et laissez mariner dans un endroit frais pendant 1 heure.

Égouttez-les et faites-les cuire sur la grille pendant 20 minutes en les retournant fréquemment.

Découpez le beurre aux agrumes en rondelles, posez-les sur les pilons et servez aussitôt.

LES PLUS

J'accompagne généralement ces pilons d'une salade de haricots verts parsemée de copeaux de parmesan.
Vins rouges conseillés : gigondas ou pommard.

Poulet tandoori

Pour 6 personnes

1 poulet fermier de 1,700 kg
sel
poivre

Pour la marinade tandoori :
2 sachets de mélange d'épices
tandoori
1 cuillerée à soupe d'huile
de tournesol
3 yaourts bulgares nature
le jus de 1 citron
3 gousses d'ail

Pour la sauce cajou :
90 g de noix de cajou
3 oignons
2 pincées de cumin en poudre
2 cuillerées à soupe d'huile
de tournesol
20 g de beurre
sel
poivre

Découpez le poulet en morceaux et mettez-le dans un plat creux. Salez légèrement et poivrez.

Dans un bol, préparez la marinade. Mettez les sachets d'épices tandoori, l'huile, les yaourts, le jus de citron et les gousses d'ail épluchées et écrasées. Mélangez. Enrobez les morceaux de poulet avec la marinade. Couvrez et laissez mariner 1 heure dans un endroit frais.

Égouttez les morceaux de poulet, tout en récupérant la marinade, et déposez-les sur la grille. Faites-les cuire 20 à 30 minutes en les retournant et en les arrosant régulièrement du reste de marinade.

Pendant ce temps, préparez la sauce. Dans une poêle, faites légèrement dorer les oignons épluchés et émincés, les noix de cajou concassées et le cumin dans l'huile et le beurre chauds. Assaisonnez et gardez au chaud sur feu très doux. Servez la sauce chaude avec le poulet.

LES PLUS

J'accompagne généralement le poulet tandoori d'une fricassée de légumes :
oignons, courgettes, aubergines, choux-fleurs et tomates revenus à l'huile d'olive.
Vins rouges conseillés : côtes-de-nuits-villages ou madiran.

Brochettes de cailles

Pour 6 personnes

12 cailles
36 olives noires
36 rondelles de chorizo doux
ou fort
1 bouquet de thym

Pour la marinade tapenade :
200 g d'olives noires
100 g de filets d'anchois à l'huile
égouttés
100 g de câpres égouttées
2 gousses d'ail
4 cuillerées à soupe d'huile d'olive
poivre

Préparez la marinade. Passez au mixeur les olives, les anchois, les câpres et les gousses d'ail épluchées. Faites fonctionner le robot à vitesse lente et versez doucement l'huile d'olive. Assaisonnez avec le poivre mais n'ajoutez surtout pas de sel.

Badigeonnez les cailles de marinade à l'aide d'un pinceau ou à la main. Couvrez et laissez mariner dans un endroit frais pendant 1 heure.

Égouttez les cailles tout en récupérant la marinade. Piquez chaque caille sur trois brochettes. Décorez les pointes des brochettes avec les olives noires et les rondelles de chorizo. Piquez les cailles de branches de thym.

Faites-les cuire sur la grille pendant 30 minutes en les retournant et en les arrosant régulièrement du reste de marinade.

LES PLUS

J'accompagne généralement ces cailles de polenta.
Vins rouges conseillés : saint-joseph ou mercurey.

Brochettes de poulet à la pomme

Pour 6 personnes

1 kg de blancs de poulet
4 pommes golden
sel
poivre

**Pour la marinade et la sauce
au calvados :**
30 cl de crème fraîche liquide
2 cuillerées à soupe de calvados
2 branches d'estragon
sel
poivre

Découpez les blancs de poulet en dés de 3 centimètres. Épluchez les pommes et coupez-les en dés de 3 centimètres. Mettez le tout dans un plat creux. Salez, poivrez et versez dessus la crème, le calvados et les feuilles d'estragon. Mélangez. Couvrez et mettez au réfrigérateur pendant au moins 1 heure.

Égouttez le poulet et les pommes et récupérez la marinade. Enfilez les morceaux de poulet et de pomme sur six brochettes en les alternant et faites-les cuire sur la grille pendant 10 minutes en les retournant fréquemment.

Pendant ce temps, versez le reste de marinade dans une casserole et faites réduire de moitié sur feu doux. Rectifiez l'assaisonnement et versez cette sauce chaude sur les brochettes de poulet cuites.

LES PLUS

J'accompagne généralement ces brochettes de champignons sautés ou de chicons braisés.

Vin rouge conseillé : vacqueyras ; ou cidre bouché sec.

Brochettes de dinde farcie

Pour 6 personnes

6 escalopes de dinde
1 aubergine
6 cuillerées à soupe d'huile d'olive
2 grosses tomates
12 fines tranches de bacon
huile
sel
poivre

Pour la sauce poivron :

1 oignon
2 cuillerées à soupe d'huile d'olive
1 petite boîte de pulpe de tomates
en dés
1 petite boîte de poivrons rouges
10 feuilles de basilic
sel
poivre

Aplatissez bien les escalopes de dinde à l'aide d'un rouleau à pâtisserie. Salez et poivrez.

Coupez l'aubergine en fines rondelles et faites-les sauter dans une poêle avec l'huile d'olive pendant 5 minutes à feu moyen. Si nécessaire, ajoutez un peu d'huile. Égouttez-les et épongez-les avec du papier absorbant.

Coupez les tomates en fines rondelles.

Sur chaque escalope, déposez deux tranches d'aubergine, deux tranches de tomate et deux tranches de bacon. Roulez-les sur elles-mêmes et piquez-les de part en part sur les brochettes afin de les maintenir.

Badigeonnez chaque roulé d'escalope avec un peu d'huile et faites-les cuire sur la grille 20 minutes en les retournant fréquemment.

Pendant ce temps, préparez la sauce. Dans une casserole, faites revenir l'oignon épluché et émincé dans l'huile puis versez la pulpe de tomates et les poivrons préalablement coupés en lamelles. Assaisonnez et laissez mijoter à feu doux le temps de la cuisson des escalopes. Ajoutez-y le basilic ciselé au moment de servir. Cette sauce peut se préparer à l'avance et se déguster froide ou chaude.

LES PLUS

J'accompagne généralement ces brochettes d'une ratatouille ou d'une salade de tomates aux petits oignons et basilic.
Vins rosés conseillés *: côtes-du-jura, bandol ou patrimonio.*

Rôti de dinde

Pour 6 personnes

1 rôti de dinde de 900 g
2 œufs
1 cuillerée à soupe d'huile
de tournesol
sel
poivre

**Pour la chapelure à la poudre
de noisettes :**
125 g de poudre de noisettes
1 bouquet de cerfeuil

Sortez le rôti au moins 2 heures à l'avance du réfrigérateur, de façon qu'il soit à température ambiante au moment de la cuisson.

Dans un plat, cassez les œufs entiers, ajoutez l'huile, salez et poivrez. Fouettez à l'aide d'une fourchette.

Dans un autre plat, versez la poudre de noisettes et le cerfeuil finement ciselé. Mélangez.

Roulez le rôti de dinde dans les œufs puis roulez-le dans la poudre de noisettes.

Déposez-le sur la grille et faites-le cuire 45 minutes en le retournant fréquemment.

LES PLUS

J'accompagne généralement ce rôti de petits dés de légumes (carottes, navets, poireaux, pommes de terre…) revenus dans du beurre.

Vins rouges conseillés : *saumur-champigny, chambolle-musigny ou sancerre.*

Cuisse de dinde

Pour 6 personnes

2 cuisses de dinde
4 gousses d'ail
6 cuillerées à soupe d'huile d'olive
1 cuillerée à soupe d'herbes de Provence
sel
poivre

**Pour la sauce à la tomate
et aux échalotes :**
2 petites boîtes de pulpe de tomates en dés
3 cuillerées à soupe de concentré
de tomate

3 échalotes
50 g de beurre
50 g de farine
5 cuillerées à soupe de vinaigre de vin
1 cuillerée à soupe de sauce worcester
1 cuillerée à soupe d'herbes
de Provence
2 cubes de bouillon de volaille
50 cl d'eau bouillante
sel
poivre

Sortez les cuisses au moins 2 heures à l'avance du réfrigérateur, de façon que la viande soit à température ambiante au moment de la cuisson.

Épluchez les gousses d'ail, coupez-les en quatre et retirez le germe. Avec la pointe d'un couteau, faites plusieurs petits trous sur la surface des cuisses et insérez les morceaux d'ail.

Dans un bol, mélangez l'huile, les herbes de Provence, le sel et le poivre. Badigeonnez les cuisses de ce mélange à l'aide d'un pinceau ou à la main. Réservez le reste d'huile.

Préparez la sauce. Épluchez et émincez les échalotes. Faites-les revenir dans le beurre chaud pendant 2 minutes et ajoutez la farine. Remuez pendant 2 minutes. Ajoutez le concentré de tomate, la pulpe de tomates, le vinaigre, la sauce worcester, les herbes, les cubes de bouillon et l'eau. Salez, poivrez et mélangez. Laissez mijoter à découvert pendant 30 minutes à feu doux. Maintenez au chaud au bain-marie.

Déposez les cuisses sur la grille et faites-les cuire pendant 45 minutes en les retournant et en les arrosant régulièrement du reste de l'huile aux herbes.

LES PLUS

J'accompagne généralement ces cuisses de purée de pommes de terre ou de flageolets.
Vin rouge conseillé : marsannay ou coteaux-des-baux.

CRUSTACÉS

Huîtres à la braise

Pour 6 personnes

2 douzaines d'huîtres charnues

**Pour le beurre à l'échalote
et aux épinards :**
80 g de beurre mou
le jus de 1/2 citron
2 échalotes
une vingtaine de feuilles d'épinard
sel
poivre

Épluchez et hachez finement les échalotes. Lavez, équeutez et hachez les épinards. Dans un bol, malaxez le beurre avec le jus de citron, les échalotes et les feuilles d'épinard. Salez et poivrez.

Ouvrez les huîtres et videz-les de leur eau.

Garnissez les huîtres d'une noisette de beurre à l'échalote et aux épinards, et déposez-les sur la grille. Laissez cuire environ 5 minutes jusqu'à ce que le beurre bouillonne.

LES PLUS

Je sers généralement ces huîtres en apéritif.
Vins blancs conseillés : *muscadet, riesling ou pouilly-fuissé.*

Brochettes de Saint-Jacques

Pour 6 personnes

18 grosses coquilles Saint-Jacques
(avec ou sans corail)
200 g de pois gourmands

**Pour la marinade et la sauce
à l'orange :**
le jus de 2 oranges
le jus de 1 citron
1 gousse d'ail
2 cuillerées à soupe de persil haché
80 g de beurre
sel
poivre

Lavez les Saint-Jacques et essuyez-les avec du papier absorbant.

Lavez et effilez les pois gourmands et faites-les cuire à la vapeur pendant 8 minutes.

Dans un plat creux, mettez les Saint-Jacques avec les pois gourmands refroidis, les jus d'orange et de citron, la gousse d'ail épluchée et écrasée ainsi que le persil. Salez et poivrez.

Couvrez et laissez mariner au réfrigérateur pendant 1 heure.

Égouttez les Saint-Jacques et les pois tout en gardant la marinade.

Avant la cuisson des brochettes, préparez la sauce. Mettez le reste de marinade dans une casserole et faites-la réduire de moitié à feu vif. À feu doux, ajoutez le beurre en morceaux sans cesser de remuer. Rectifiez l'assaisonnement et gardez au chaud au bain-marie.

Enveloppez chaque noix de Saint-Jacques avec un pois gourmand et enfilez-les ensuite par trois sur les brochettes.

Déposez les brochettes sur la grille et laissez cuire 3 minutes tout en les retournant fréquemment.

LES PLUS

J'accompagne généralement ces brochettes de riz nature ou d'une salade de pâtes aux courgettes (voir p. 113).
Vins blancs conseillés : muscadet sur lie ou graves.

Brochettes de langoustines au lard fumé

Pour 6 personnes

18 langoustines
18 fines tranches de gouda
18 fines tranches de lard fumé
12 feuilles de laurier

**Pour la marinade à l'huile
d'olive et aux herbes :**
6 cuillerées à soupe d'huile d'olive
1 branche de thym
1 branche de romarin
sel
poivre

Décortiquez les langoustines à cru. Enveloppez chacune d'elles d'une tranche de gouda puis d'une tranche de lard. Enfilez-les par trois sur les brochettes en intercalant une feuille de laurier entre chaque langoustine.

Dans un plat creux, posez les brochettes et versez dessus l'huile, le thym et le romarin émiettés. Salez et poivrez. Couvrez et laissez mariner 15 minutes au réfrigérateur.

Égouttez les brochettes et déposez-les sur la grille. Faites-les cuire environ 5 minutes en les retournant fréquemment.

LES PLUS

J'accompagne généralement ces brochettes de toasts de pain aillés, imbibés légèrement d'huile d'olive et parsemés de dés de tomates, et d'une salade.
Vins blancs conseillés : *chablis, meursault ou muscadet.*

Homard grillé

Pour 6 personnes

3 homards vivants de 500 g
(femelles)
30 g de beurre fondu
6 cuillerées à soupe d'huile d'olive
sel
poivre

**Pour la sauce hollandaise
à l'estragon :**
5 cuillerées à soupe d'eau
250 g de beurre
3 jaunes d'œufs
1 filet de jus de citron
1 cuillerée à soupe d'estragon
frais haché
sel
poivre

Plongez les homards dans de l'eau bouillante salée pendant 3 minutes. Égouttez-les et fendez-les en deux. Brisez les pinces.

Dans un plat creux, mettez les homards, carapace vers le fond, et badigeonnez la chair de beurre et d'huile à l'aide d'un pinceau. Salez et poivrez. Égouttez les homards et récupérez le beurre et l'huile.

Déposez les homards sur la grille et faites-les cuire environ 20 minutes en les retournant fréquemment et en les badigeonnant du reste de beurre et d'huile.

Pendant la cuisson des homards, préparez la sauce. Versez 3 cuillerées à soupe d'eau dans une casserole. Salez et poivrez. Faites tiédir légèrement le fond de la casserole au bain-marie à feu doux. À part, faites fondre le beurre sans le laisser chauffer. Dans un bol, délayez les jaunes d'œufs avec 1/2 cuillerée à soupe d'eau et versez-les dans la casserole d'eau tiédie. Battez les jaunes à l'aide d'un fouet jusqu'à obtenir la consistance d'une pommade puis incorporez petit à petit le beurre fondu et le filet de jus de citron sans cesser de fouetter et, peu à peu, une autre cuillerée à soupe d'eau. Ajoutez l'estragon et rectifiez l'assaisonnement. Gardez au chaud au bain-marie.

Les plus

J'accompagne généralement le homard de riz nature.
Vins blancs conseillés : pouilly-fuissé, savennières ou chardonnay.

Tourteaux farcis

Pour 6 personnes

6 tourteaux cuits du jour
2 cuillerées à soupe de persil haché
50 g de gruyère
25 g de beurre fondu

Pour la sauce Mornay :
40 g de beurre
40 g de farine
1/2 litre de lait

1 pincée de muscade
70 g de gruyère
2 jaunes d'œufs
1 cuillerée à soupe de lait
2 cuillerées à soupe de crème
fraîche épaisse
sel
1 pincée de poivre de Cayenne

Détachez les pinces et les pattes des tourteaux et retirez la chair qu'elles contiennent. Retirez ensuite toute la chair et la partie crémeuse contenue dans les carapaces en éliminant les cartilages. Émiettez finement cette chair, ajoutez le persil et mélangez.

Lavez les carapaces et essuyez-les.

Préparez la sauce. Dans une casserole, faites fondre le beurre à feu doux. Ajoutez la farine et mélangez rapidement pour obtenir un mélange lisse sans coloration. Versez le lait préalablement chauffé et fouettez jusqu'à épaississement. Salez, poivrez et saupoudrez de muscade. Incorporez le gruyère et remuez jusqu'à ce que le fromage soit bien fondu. Retirez la sauce du feu et ajoutez les jaunes d'œufs battus avec 1 cuillerée à soupe de lait. Remettez à chauffer doucement jusqu'à ébullition. Terminez hors du feu en ajoutant la crème fraîche. Rectifiez l'assaisonnement.

Mélangez la chair des crabes à la sauce. Versez le tout au fond des carapaces. Saupoudrez de gruyère et de beurre fondu.

Déposez les carapaces sur la grille et laissez cuire pendant environ 30 minutes.

LES PLUS

J'accompagne généralement ce tourteau d'une salade verte.
Vins blancs conseillés : muscadet ou côtes-du-roussillon.

Brochettes de moules panées

Pour 6 personnes

1 kg de moules
400 g de champignons de Paris
1 cuillerée à soupe d'huile d'olive
10 cl de vin blanc
1 cuillerée à soupe de persil haché
1 cuillerée à soupe de beurre
le jus de 1/2 citron
18 gousses d'ail
1 œuf
35 g de chapelure
sel
poivre

Dans un faitout, versez l'huile, le vin blanc et le persil. Salez et poivrez. Portez à ébullition et versez les moules préalablement grattées et lavées. Couvrez et laissez les moules s'ouvrir pendant environ 4 minutes. Égouttez-les, laissez-les refroidir et retirez-les de leur coquille.

Lavez les champignons. Coupez les pieds et n'utilisez que les têtes. Faites-les revenir à feu vif pendant 2 minutes dans une poêle avec le beurre et le jus de citron. Mettez de côté.

Faites blanchir les gousses d'ail non épluchées dans de l'eau bouillante pendant 3 minutes. Égouttez-les.

Cassez l'œuf dans une assiette creuse et battez-le légèrement. Assaisonnez. Mettez la chapelure dans une seconde assiette creuse. Trempez les moules dans l'œuf battu puis dans la chapelure.

Enfilez les brochettes en alternant un champignon, une moule et une gousse d'ail. Déposez les brochettes sur la grille et laissez cuire 3 minutes en retournant fréquemment.

LES PLUS

J'accompagne généralement ces brochettes de champignons et de pommes de terre sautés, et d'une salade verte.
Vins blancs conseillés : *muscadet, sancerre ou rully.*

Brochettes d'escargots

Pour 6 personnes

4 douzaines d'escargots
de Bourgogne cuits
150 g de pain de campagne
400 g de champignons de Paris
30 g de beurre
sel
poivre

Pour le beurre persillé :
60 g de beurre
1 cuillerée à soupe de persil haché
1 gousse d'ail
1 échalote

Taillez le pain de campagne en cubes aussi gros que les escargots.

Lavez les champignons. Coupez les pieds et n'utilisez que les têtes. Faites-les revenir à feu vif pendant 2 minutes dans une poêle avec le beurre.

Dans un bol, préparez le beurre persillé en malaxant le beurre, le persil, la gousse d'ail et l'échalote épluchées et hachées. Couvrez et mettez au réfrigérateur.

Enfilez les brochettes en alternant un escargot, un morceau de pain et un champignon. Salez et poivrez.

Déposez les brochettes sur la grille et faites-les cuire environ 4 minutes en les retournant fréquemment. Servez avec le beurre persillé.

LES PLUS

Je sers généralement ces escargots en guise d'apéritif accompagnés d'un bon vin rouge de pays.
Vins blancs conseillés : *bourgogne aligoté ou mâcon.*

Brochettes de gambas

Pour 6 personnes

12 gambas
10 cl d'huile d'olive
2 cuillerées à soupe de sauce soja
1/2 botte de basilic
sel
poivre

Pour la sauce mayonnaise verte :
2 jaunes d'œufs à température
ambiante
1 cuillerée à café de moutarde
de Dijon
30 cl d'huile de tournesol
2 cuillerées à soupe d'herbes hachées
(basilic, ciboulette, cerfeuil…)
sel
poivre

Dans un plat creux, mettez les gambas entières avec l'huile, la sauce soja et les feuilles de basilic ciselées. Salez et poivrez. Mélangez. Couvrez et mettez au réfrigérateur pendant 1 heure.

Égouttez les gambas, tout en gardant la marinade, et enfilez-les par deux sur les brochettes.

Déposez-les sur la grille. Faites-les cuire environ 6 minutes en les retournant fréquemment. Badigeonnez de marinade en cours de cuisson.

Pendant la cuisson des brochettes, préparez la sauce. Dans un bol, battez les jaunes d'œufs avec la moutarde. Laissez reposer 1 minute. Versez peu à peu l'huile sans cesser de remuer à l'aide d'un fouet, toujours dans le même sens. Salez et poivrez. Incorporez les herbes et mélangez.

LES PLUS

J'accompagne généralement les gambas grillées d'une salade de riz aux tomates confites (voir p. 119).
Vins blancs conseillés : *riesling ou bandol.*

POISSONS

Brochettes de thon au chorizo

Pour 6 personnes

600 g de filet de thon rouge
24 rondelles de chorizo
doux ou fort
1 bocal de 300 g de tomates
séchées ou confites

**Pour la marinade et la sauce
de tomates à l'anchois :**
1 petite boîte de pulpe de tomates
en dés

le jus et le zeste de 1 citron
2 gousses d'ail
2 pincées de piment d'Espelette
2 cuillerées à soupe de câpres
4 brins de persil ou de coriandre
hachés
1 cuillerée à soupe de crème
d'anchois
sel
poivre

Coupez le thon en cubes de 3 centimètres de côté. Mettez-les dans un plat creux. Ajoutez la pulpe de tomates, le jus et le zeste de citron, les gousses d'ail épluchées et écrasées, le piment d'Espelette, les câpres, le persil et la crème d'anchois. Salez et poivrez. Mélangez. Couvrez et laissez mariner au réfrigérateur pendant 30 minutes. Égouttez les cubes de thon et réservez la marinade. Répartissez les cubes de thon sur six brochettes en intercalant les tomates séchées et les rondelles de chorizo. Déposez-les sur la grille puis faites-les cuire pendant environ 3 minutes en les retournant fréquemment.

Pendant la cuisson des brochettes, préparez la sauce. Dans une casserole, versez la marinade du thon. Laissez mijoter à feu doux le temps de la cuisson des brochettes. Rectifiez l'assaisonnement. Cette sauce peut se préparer à l'avance et se déguster froide.

 *LES PLUS*

J'accompagne généralement ces brochettes d'une salade de tomates avec des tranches de pain de campagne grillées (style Poilâne).
Vins conseillés : côtes-de-duras sec, graves blanc, côtes-de-provence rosé ou cheverny rouge.

sardines grillées farcies

Pour 6 personnes

18 sardines fraîches
2 cuillerées à soupe de miel liquide
8 cuillerées à soupe d'huile
de colza
fleur de sel
poivre du moulin

Pour la farce aux champignons :
300 g de champignons de Paris
1 cuillerée à soupe d'huile d'olive
3 échalotes

1 tomate
1 cuillerée à soupe de câpres
2 cuillerées à soupe de moutarde
à l'ancienne
4 branches de persil hachées
10 feuilles de menthe hachées
4 tranches de pain de mie
sans croûte
20 cl de lait
sel
poivre

Essuyez les sardines avec du papier absorbant pour enlever les écailles. Videz-les, enlevez l'arête centrale et préparez-les en portefeuille (c'est-à-dire en les ouvrant à plat et en laissant les deux parties jointes par un côté) ou demandez à votre poissonnier de les préparer.

Préparez la farce. Épluchez et émincez les échalotes. Coupez le bout terreux des champignons puis lavez-les rapidement sous l'eau froide. Hachez les têtes et les pieds des champignons et jetez-les dans une poêle avec l'huile chaude et les échalotes émincées pendant 2 minutes. Salez et poivrez. Ajoutez la tomate coupée en dés, les câpres, la moutarde, le persil et la menthe. Rectifiez l'assaisonnement et mélangez. Retirez du feu. Trempez la mie de pain dans le lait, égouttez-la et versez-la dans le hachis. Mélangez. Farcissez les sardines du hachis et refermez-les.

Dans un bol, mélangez le miel avec l'huile de colza.

Faites cuire les sardines environ 4 minutes de chaque côté tout en les badigeonnant de sauce au miel à l'aide d'un pinceau. Saupoudrez de fleur de sel et de poivre en fin de cuisson.

LES PLUS

J'accompagne généralement ces sardines de ratatouille et de pommes de terre à la braise.

Vins blancs conseillés : gros-plant, jurançon sec ou entre-deux-mers.

Rougets à la sauge

Pour 6 personnes

12 petits rougets barbets écaillés
et non vidés
12 feuilles de sauge
12 fines tranches de poitrine fumée
10 cuillerées à soupe d'huile
d'olive
3 pincées de curry
fleur de sel
poivre du moulin

Pour la sauce crème d'ail :
5 gousses d'ail
5 cuillerées à soupe de crème
fraîche épaisse
100 g de beurre
le jus de 1/2 citron
2 cuillerées à soupe de ciboulette
ciselée
sel
poivre

Entaillez les rougets légèrement de trois coups de couteau. Posez une feuille de sauge sur chaque rouget puis enveloppez-les d'une tranche de poitrine fumée. Maintenez-les à l'aide de piques en bois.

Dans un bol, mélangez l'huile avec le curry.

Préparez la sauce. Épluchez l'ail et écrasez-le au-dessus d'une casserole. Ajoutez le beurre et la crème, remuez et laissez mijoter sur feu doux pendant 3 minutes. Passez la crème d'ail dans un chinois ou une passoire fine en raclant le fond avec le dos d'une cuillère. Remettez le tout dans la casserole et versez-y le jus de citron et la ciboulette. Assaisonnez et gardez chaud au bain-marie.

Faites cuire les rougets environ 4 minutes de chaque côté tout en les badigeonnant de sauce curry à l'aide d'un pinceau. Saupoudrez de fleur de sel et de poivre du moulin en fin de cuisson.

LES PLUS

J'accompagne généralement ces rougets de pommes de terre vapeur et d'endives braisées.

Vins rosés conseillés : palette, bandol ou rosé de Provence.

Soles tahitiennes

Pour 6 personnes

24 filets de sole
1 pincée de piment de Cayenne
1 oignon
4 gousses d'ail
1 petit bouquet de persil
4 courgettes
sel
poivre

Pour la marinade au lait de coco :
15 cl de lait de coco non sucré
le jus de 5 citrons verts

Déposez les filets de sole dans un plat creux. Salez et poivrez. Parsemez de piment de Cayenne. Pelez et émincez finement l'oignon et les gousses d'ail. Hachez le persil. Mettez le tout sur les soles. Versez par-dessus le jus de citron et le lait de coco. Couvrez et laissez mariner 15 minutes au réfrigérateur.

Pendant ce temps, lavez les courgettes, enlevez les deux extrémités puis coupez-les en vingt-quatre lamelles dans le sens de la longueur. Faites-les cuire pendant 5 minutes à la vapeur ou 3 minutes dans de l'eau bouillante salée. Passez-les sous l'eau froide et égouttez-les.

En réservant la marinade, égouttez les filets de sole, posez une lamelle de courgette sur chaque filet de sole et enroulez. Enfilez ensuite quatre rouleaux de sole sur chacune des six brochettes.

Déposez les brochettes sur la grille et laissez cuire 3 minutes en les retournant et en les arrosant régulièrement du reste de marinade.

LES PLUS

J'accompagne généralement ces soles de courgettes sautées.
Vins blancs conseillés : anjou, vouvray ou gewurztraminer.

saumon à la coque

Pour 6 personnes

6 pavés de saumon avec la peau
6 cuillerées à soupe d'huile d'olive
1 brin d'aneth
6 œufs
100 g d'œufs de saumon
fleur de sel

Pour la fondue de tomates :
6 tomates
1 échalote

1 cuillerée à soupe d'huile d'olive
sel
poivre

Pour la sauce à l'huile d'olive :
10 cuillerées à soupe d'huile
d'olive
le jus de 1/2 citron
5 feuilles de basilic
sel

Dans un bol, mélangez l'huile avec le brin d'aneth effeuillé. Huilez-en les pavés de saumon à l'aide d'un pinceau ou à la main.

Préparez la sauce à l'huile d'olive en mélangeant l'huile d'olive, le jus de citron, les feuilles de basilic ciselées. Salez.

Préparez la fondue de tomates. Plongez les tomates dans de l'eau bouillante pendant 15 secondes. Épluchez-les, épépinez-les et coupez-les en dés. Épluchez et hachez finement l'échalote et faites-la revenir dans l'huile d'olive. Ajoutez les tomates, assaisonnez et laissez cuire 15 minutes à feu doux. Cette fondue se déguste froide ou chaude.

Déposez les pavés de saumon côté peau sur la grille et laissez cuire 5 minutes jusqu'à ce qu'ils rosissent légèrement. Le centre doit rester presque cru. Parsemez de fleur de sel en fin de cuisson.

Pendant ce temps, cassez les œufs comme on ouvre des œufs à la coque, évidez-les avec précaution et gardez les coquilles. Remplissez-les de fondue de tomates puis d'œufs de saumon.

Sur chaque assiette, versez un peu de sauce. Posez les pavés sur la sauce et positionnez la coquille d'œuf sur le saumon en le creusant légèrement. Décorez d'aneth.

LES PLUS

J'accompagne généralement le saumon de tagliatelles au beurre.
Vins blancs conseillés : pouilly-fuissé ou chassagne-montrachet.

Brochettes de lotte

Pour 6 personnes

1 kg de lotte
1 kg d'aubergines
1 kg de courgettes

Pour la marinade au beurre de cacahuète :
2 cuillerées à soupe de beurre de cacahuète
15 cl de lait de coco

2 cuillerées à soupe de miel liquide
1 cuillerée à café de curry
2 cuillerées à soupe de sauce soja
le jus de 1/2 citron
1 cuillerée à soupe d'huile de tournesol
sel
poivre

Coupez la lotte en cubes de 3 centimètres de côté. Coupez de même les aubergines et les courgettes. Mettez le tout dans un plat creux. Dans un bol, versez le beurre de cacahuète, le lait de coco, le miel, le curry, la sauce soja, le jus de citron et l'huile. Assaisonnez. Versez la marinade sur la lotte et les légumes, mélangez, couvrez et mettez au réfrigérateur pendant 30 minutes.

Égouttez les morceaux de lotte et de légumes et réservez la marinade. Enfilez sur des brochettes, en les alternant, les morceaux de lotte, d'aubergines et de courgettes.

Déposez les brochettes sur la grille et faites-les cuire 6 minutes en les retournant et en les arrosant régulièrement du reste de marinade.

LES PLUS

J'accompagne généralement ces brochettes d'une salade de roquette.
Vins blancs conseillés : côtes-du-rhône ou meursault.

Brochettes de la mer en papillote

Pour 6 personnes

1 kg de lotte
30 crevettes roses fraîches
1 gros poireau

**Pour la marinade aux oignons
et au citron :**
6 cuillerées à soupe d'huile d'olive
le jus de 1 citron
12 oignons grelots
5 feuilles de basilic
1 petit bouquet de cerfeuil
sel
poivre

Coupez la lotte en cubes de 3 centimètres de côté.

Coupez et lavez le vert du poireau et faites-le cuire 1 minute dans de l'eau bouillante. Égouttez-le et passez-le sous l'eau froide. Coupez le poireau en vingt-quatre fines lanières, dans la longueur.

Enfilez quatre morceaux de lotte sur chaque brochette, en alternant avec les crevettes. Entourez les morceaux de lotte de lanières de poireau et faites un nœud.

Découpez six carrés de papier d'aluminium de 30 centimètres de côté. Dans chaque papillote, placez une brochette. Ajoutez l'huile, le jus de citron, les petits oignons épluchés et émincés et les herbes ciselées. Salez et poivrez. Fermez la papillote et mettez au réfrigérateur pendant 15 minutes.

Déposez les papillotes sur la grille et faites-les cuire pendant 10 minutes.

LES PLUS

J'accompagne généralement ces brochettes de la mer de riz safrané ou d'une fondue de poireaux.

Vins blancs conseillés : muscadet ou bourgogne aligoté.

Pavés de cabillaud panés

Pour 6 personnes

6 pavés de cabillaud
2 œufs
1 cuillerée à soupe d'huile
de tournesol
sel
poivre

**Pour la chapelure à la noix
de coco :**
80 g de chapelure
40 g de noix de coco râpée

Dans une assiette creuse, cassez les œufs entiers et ajoutez l'huile. Assaisonnez.
Fouettez à l'aide d'une fourchette.

Dans une autre assiette creuse, mélangez la chapelure à la noix de coco.

Trempez chaque pavé de cabillaud dans les œufs puis roulez-le dans la chapelure.

Déposez les pavés de cabillaud sur la grille et faites-les cuire 2 minutes de chaque
côté.

Servez avec des quartiers de citron.

LES PLUS

J'accompagne généralement le cabillaud d'une salade de champignons au
sésame (voir p. 120).

Vins blancs conseillés : cassis ou hermitage.

CHARCUTERIE

Brochettes de petits boudins aux pommes

Pour 6 personnes

18 petits boudins noirs
18 petits boudins blancs
12 rondelles de chorizo
doux ou fort
2 pommes reinettes
6 cuillerées à soupe d'huile
de tournesol
poivre

Pour la compote d'oignons :

5 oignons
80 g de beurre
2 cuillerées à soupe d'huile
de tournesol
sel
poivre

Préparez la compote d'oignons. Pelez et émincez les oignons. Dans une casserole, faites-les fondre doucement dans le beurre et l'huile chauds. Assaisonnez-les et laissez-les cuire 30 minutes à feu très doux. Cette compote peut se préparer à l'avance et se déguster froide ou tiède.

Pendant ce temps, épluchez et coupez les pommes en cubes de 3 centimètres de côté.

Piquez sur six brochettes les petits boudins noirs et blancs en alternant avec les morceaux de pommes et les rondelles de chorizo.

Déposez-les sur la grille et laissez-les cuire pendant 6 minutes en les retournant fréquemment tout en les badigeonnant légèrement mais régulièrement d'huile.

Poivrez et servez avec la compote d'oignons.

LES PLUS

J'accompagne généralement ces brochettes de boudins de purée de pommes de terre ou d'une salade de pousses d'épinards.

Vins conseillés : *bourgueil rouge, montagne-saint-émilion rouge, ou cidre fermier.*

Hot dogs

Pour 6 personnes

6 saucisses de Strasbourg
6 tranches de gruyère
6 petits pains de campagne
20 g de beurre fondu

Coupez les saucisses en deux dans la longueur en les laissant attachées par un côté. Farcissez-les de gruyère et attachez-les à chaque extrémité avec une ficelle. Déposez-les sur la grille et faites-les cuire pendant 8 minutes en les retournant fréquemment. Coupez les ficelles.
Coupez les petits pains en deux et badigeonnez l'intérieur de beurre fondu. Déposez-les sur la grille pendant 1 minute puis garnissez-les des saucisses.
Servez aussitôt les hot dogs accompagnés de la sauce de votre choix : moutarde, ketchup ou mayonnaise.

LES PLUS

Je sers généralement ces hot dogs avec des frites.
Vin rouge conseillé : *beaujolais.*

La reine des pizzas

Pour 6 personnes

1 pâte à pizza toute prête
4 champignons de Paris
1 cuillerée à soupe d'huile d'olive
100 g de bacon ou de jambon râpé
1 petite boîte de sauce tomate
1 pincée d'origan
250 g de mozzarella
sel
poivre

Coupez le bout terreux des champignons puis lavez-les rapidement sous l'eau froide. Émincez-les. Dans une poêle, faites revenir les champignons avec l'huile d'olive à feu vif pendant 1 minute, ajoutez le bacon ou le jambon. Laissez cuire de nouveau pendant 1 minute. Puis, à feu doux, versez la sauce tomate, mélangez et assaisonnez avec le sel, le poivre et l'origan.

Déroulez la pâte à pizza sur la grille, faites-la cuire 3 minutes jusqu'à ce que le fond brunisse puis retournez-la. Après environ 1 minute, déposez dessus la mozzarella découpée en lamelles puis la garniture. Faites cuire le tout pendant encore 5 minutes et servez aussitôt.

LES PLUS

Je sers généralement cette pizza coupée en morceaux et accompagnée d'un rosé frais en guise d'apéritif.

Vin conseillé : *faugères rosé ; pour les amateurs, une bonne bière légère.*

Andouillettes grillées

Pour 6 personnes

6 andouillettes
4 cuillerées à soupe de moutarde forte
4 cuillerées à soupe d'huile de tournesol
80 g de chapelure
sel
poivre

Pour la sauce à la moutarde :
3 échalotes
20 cl de vin blanc aligoté ou autre
3 cuillerées à soupe de moutarde de Meaux à l'ancienne
20 cl de crème fraîche épaisse
sel
poivre

Dans un bol, mélangez la moutarde avec l'huile. Assaisonnez. Piquez les andouillettes avec une fourchette et tartinez-les avec cette crème puis roulez-les dans la chapelure.

Déposez-les sur la grille et faites-les cuire pendant 20 minutes en les retournant fréquemment.

Pendant la cuisson des andouillettes, préparez la sauce. Pelez et émincez finement les échalotes. Dans une casserole, versez le vin blanc sur les échalotes et laissez réduire sur feu doux jusqu'à évaporation totale du liquide. Ajoutez la moutarde et la crème, mélangez et laissez réduire encore 2 minutes. Assaisonnez. Servez la sauce aussitôt ou gardez-la chaude au bain-marie.

LES PLUS

J'accompagne généralement ces andouillettes de pommes de terre et de champignons sautés ou d'un gratin dauphinois.
Vin conseillé : mâcon rouge ou blanc.

Macédoine de saucisses en brochettes

Pour 6 personnes

4 chipolatas nature ou aux herbes
4 merguez
4 saucisses de Francfort

Pour la marinade au vin blanc :
1 litre de vin blanc
1 oignon
1 carotte
5 feuilles de laurier
2 clous de girofle
10 grains de poivre

Épluchez et coupez l'oignon en quatre. Épluchez et coupez la carotte en rondelles. Coupez les saucisses en trois. Dans une sauteuse, mettez l'oignon, la carotte, les feuilles de laurier, les clous de girofle et les grains de poivre. Ajoutez les saucisses. Versez le vin blanc et laissez mijoter à feu moyen pendant 5 minutes. Retirez du feu et laissez tiédir. Cette préparation peut être faite la veille.
Égouttez les saucisses. Sur six brochettes, piquez deux morceaux de chaque saucisse en les alternant.
Déposez-les sur la grille et faites-les cuire pendant 5 minutes en les retournant fréquemment.

LES PLUS

J'accompagne généralement ces saucisses d'une salade de pommes de terre à l'échalote et de plusieurs variétés de moutardes.
Vin blanc conseillé : cheverny.

Choucroute au barbecue

Pour 6 personnes

1,500 kg de choucroute cuite
1 kg de palette de porc fumée
300 g de poitrine de porc salée
2 jambonneaux
3 saucisses de Strasbourg ou autre
6 tranches fines de lard fumé
2 litres de riesling
100 g de saindoux
1 brin de thym
fleur de sel
poivre du moulin

Dans un faitout, faites fondre le saindoux et déposez dessus la moitié de la choucroute. Ajoutez la palette de porc tranchée, la poitrine de porc, les jambonneaux coupés en deux, les saucisses préalablement farinées et piquées et le restant de la choucroute. Versez le riesling, assaisonnez et laissez alors mijoter sur feu moyen pendant environ 1 heure. Laissez tiédir. Cette préparation peut être faite la veille.

Égouttez tous les morceaux de viande et déposez-les sur la grille avec le lard fumé. Parsemez de thym et laissez cuire pendant 15 minutes en retournant les morceaux de viande fréquemment. Assaisonnez.

Pendant ce temps, remettez la choucroute sur le feu.

LES PLUS

J'accompagne généralement ce plat de pommes de terre à la braise et de plusieurs variétés de moutardes.
Vins blancs conseillés : *sylvaner ou gris de Toul ; ou bière.*

Pieds de porc panés

Pour 6 personnes

6 pieds de porc cuits
6 cuillerées à soupe de moutarde
forte
3 cuillerées à soupe d'huile
de tournesol
100 g de chapelure
sel
poivre

Dans un bol, mélangez la moutarde et l'huile. Assaisonnez. Déposez les pieds de porc dans un plat creux et tartinez-les de crème à la moutarde. Roulez-les dans la chapelure.

Déposez les pieds de porc sur la grille et faites-les griller pendant 15 minutes en les retournant fréquemment.

LES PLUS

J'accompagne généralement ces pieds de porc d'une purée de pois cassés et d'une salade de mesclun.

Vins conseillés : côtes-de-provence rosé ou côtes-du-rhône rouge ; ou bière légère.

Jambon d'York caramélisé

Pour 6 personnes

2 tranches de jambon d'York
de 5 cm d'épaisseur

Pour la marinade au miel :
3 cuillerées à soupe de miel liquide
6 cuillerées à soupe de sauce soja
le jus de 2 citrons verts

2 gousses d'ail
1 cuillerée à café de gingembre
frais râpé ou 1/2 cuillerée à café
de gingembre en poudre
sel
poivre

Déposez les tranches de jambon dans un plat creux. Dans un bol, mélangez le miel, la sauce soja, le jus de citron, les gousses d'ail épluchées et écrasées et le gingembre. Assaisonnez. Versez la marinade sur le jambon. Couvrez et laissez mariner 2 heures dans un endroit frais.

Égouttez les tranches de jambon tout en gardant la marinade et déposez-les sur la grille. Faites-les cuire pendant 20 minutes en les retournant fréquemment et en les badigeonnant du reste de marinade. Ce plat peut se déguster froid.

LES PLUS

J'accompagne généralement le jambon d'York de fonds d'artichauts vinaigrette ou de tomates provençales (voir p. 108).
Vins rouges conseillés : *touraine ou brouilly.*

LÉGUMES

Légumes grillés à la fleur de sel

Pour 6 personnes

2 petites aubergines
4 grosses tomates fermes
4 poivrons rouges, verts ou jaunes
fleur de sel
huile d'olive

Lavez et essuyez les légumes sans les peler.

Quand vous commencez votre feu, jetez les légumes dans les flammes et faites-les griller pendant 5 minutes en les retournant fréquemment. Retirez-les des flammes et laissez-les tiédir.

Retirez la peau des légumes en trempant régulièrement votre main dans une bassine d'eau. La peau grillée doit s'enlever très facilement.

Déposez les légumes entiers sur un plat et parsemez de fleur de sel et d'huile d'olive.

 *LES PLUS*

Ces légumes servent d'accompagnement aux viandes ou aux poissons grillés.

Aubergines au roquefort

Pour 6 personnes

3 aubergines
200 g de roquefort
30 cl de crème fraîche épaisse
huile
sel
poivre

Nettoyez les aubergines. Coupez-les en deux dans le sens de la longueur. Assaisonnez-les et mettez-les au four à 180 °C (thermostat 6) sur une feuille de papier sulfurisé huilée pendant 25 minutes. Sortez-les du four et laissez-les tiédir. À l'aide d'une cuillère, évidez les aubergines en veillant à laisser une épaisseur de pulpe régulière de 5 millimètres. Mettez la pulpe dans un saladier, ajoutez le roquefort émietté et la crème fraîche. Assaisonnez le tout et mélangez.
Garnissez les demi-aubergines de cette farce et déposez-les sur la grille. Faites-les cuire pendant 10 minutes.

LES PLUS

J'accompagne généralement ces aubergines d'une salade verte aux noix ou aux pignons de pin.

Oignons doux caramélisés

Pour 6 personnes

6 gros oignons rouges
20 cl de crème liquide
200 g de beaufort
sel
poivre

Posez les oignons sur la grille sans les peler. Faites-les cuire en les retournant fréquemment pendant 40 minutes. La peau extérieure doit être noire, et l'intérieur des oignons moelleux. Retirez-les de la grille, laissez-les tiédir et débarrassez-les de leurs peaux noircies.
Retirez la chair des oignons à l'aide d'une cuillère et mettez-la dans une casserole.
Ajoutez la crème et le fromage en petits morceaux, portez à ébullition et retirez du feu. Assaisonnez.

LES PLUS

Ces oignons servent d'accompagnement à des pommes de terre à la braise (voir p. 109), avec des tranches de pain grillées.

Asperges grillées

Pour 6 personnes

24 asperges vertes

Pour la marinade au sésame :
4 cuillerées à soupe d'huile d'olive
2 cuillerées à soupe de sauce soja
2 cuillerées à soupe de graines
de sésame
poivre du moulin

Coupez et jetez l'extrémité des asperges.

Dans un saladier, préparez la marinade. Mélangez l'huile, la sauce soja et les graines de sésame. Poivrez. Ajoutez les asperges et mélangez. Couvrez et laissez mariner 30 minutes dans un endroit frais.

Égouttez les asperges tout en gardant la marinade. Piquez quatre asperges ensemble sur deux brochettes, une au niveau des têtes des asperges et l'autre plus bas. Cela formera une sorte de radeau.

Déposez-les sur la grille et faites-les cuire 5 minutes en les retournant fréquemment tout en les badigeonnant du restant de marinade.

 *LES PLUS*

Je sers ces asperges en accompagnement de poissons grillés ou en guise d'apéritif avec des tranches de jambon italien.

Champignons farcis à la ratatouille

Pour 6 personnes

12 gros champignons
2 cuillerées à soupe d'huile d'olive

Pour la ratatouille :
4 tomates
1 poivron rouge ou vert
1 courgette
1 petite aubergine

1 oignon
1 gousse d'ail
15 cl d'huile d'olive
2 pincées d'herbes de Provence
1 feuille de laurier
sel
poivre

Épluchez et coupez l'oignon en rondelles. Sans les éplucher, coupez le poivron épépiné en lamelles, la courgette et l'aubergine en petits dés. Concassez les tomates pelées et épépinées. Épluchez et écrasez l'ail.

Dans un faitout, faites dorer avec un peu d'huile l'oignon, l'ail et le poivron. Retirez-les et faites revenir la courgette et l'aubergine dans le reste d'huile. Réservez-les. Versez les tomates dans le faitout et faites-les cuire 10 minutes.

Remettez tous les légumes ensemble. Assaisonnez. Ajoutez les herbes de Provence et la feuille de laurier et laissez mijoter à feu doux pendant 1 heure en remuant de temps en temps. Cette ratatouille peut se préparer 48 heures à l'avance.

Coupez les pieds des champignons et lavez les têtes rapidement sous l'eau froide. Badigeonnez les têtes des champignons d'huile d'olive et déposez-les côté intérieur sur la grille. Faites-les cuire 5 minutes, retournez-les, farcissez-les de ratatouille et laissez-les cuire encore pendant 5 minutes.

Servez aussitôt.

LES PLUS

Ces champignons servent d'accompagnement à des poissons grillés, des œufs sur le plat ou une omelette.

Tomates provençales

Pour 6 personnes

6 grosses tomates fermes
4 gousses d'ail
2 cuillerées à soupe de persil haché
3 cuillerées à soupe d'huile d'olive
4 cuillerées à soupe de chapelure
sel
poivre

Coupez les tomates en deux. Salez-les et retournez-les sur une assiette pour éliminer l'eau.

Dans un bol, mélangez l'ail épluché et haché avec le persil et l'huile. Assaisonnez. Trempez chaque moitié de tomates dans ce mélange à base d'huile puis roulez-les dans la chapelure.

Déposez les tomates sur la grille et laissez-les cuire 5 minutes en les retournant fréquemment.

LES PLUS

Ces tomates servent d'accompagnement à des poissons ou des côtelettes d'agneau grillés.

Vous pouvez également poser sur les tomates cuites des copeaux de parmesan.

Pommes de terre à la braise

Pour 6 personnes

12 pommes de terre moyennes

Choisissez des pommes de terre de taille égale afin d'obtenir un temps de cuisson homogène. Lavez les pommes de terre non épluchées et enveloppez-les chacune encore mouillée dans une feuille de papier d'aluminium.

Placez les pommes de terre dans les braises ou dans le feu et laissez-les cuire pendant 25 minutes en les retournant une fois pendant la cuisson.

En fin de cuisson, assurez-vous qu'elles sont cuites en les piquant.

LES PLUS

J'accompagne généralement ces pommes de terre de crème fraîche et de beurre salé. Vous pourrez les servir avec tous vos plats de barbecue.

Épis de maïs grillés

Pour 6 personnes

6 épis de maïs frais, surgelés
ou sous vide
100 g de beurre salé
1 cuillerée à soupe d'huile d'olive
fleur de sel
poivre du moulin

Déposez le beurre légèrement fondu dans un bol et ajoutez l'huile d'olive.
Mélangez. À l'aide d'un pinceau, badigeonnez les épis de maïs avec ce beurre.
Déposez les épis sur la grille du barbecue et faites-les griller 5 à 7 minutes.
Retournez-les souvent tout en continuant à les badigeonner de beurre avec le
pinceau. Une fois que les grains de maïs sont bien dorés tout autour des épis, salez
et poivrez.
Dégustez les épis de maïs en piquant deux fourchettes aux extrémités.

LES PLUS

*Vous pouvez ajouter au beurre 2 cuillerées à soupe de persil ou d'estragon
haché et, éventuellement, 1 gousse d'ail écrasée.
Ces épis de maïs accompagnent parfaitement les viandes et les volailles.*

SALADES

Pâtes aux courgettes

Pour 6 personnes

300 g de farfalle
2 courgettes
10 petits oignons
100 g de lardons fumés ou nature
2 cuillerées à soupe d'huile d'olive
1 cuillerée à soupe de vinaigre
de vin

Pour la vinaigrette aux herbes :
1 cuillerée à soupe de vinaigre
de vin
3 cuillerées à soupe d'huile d'olive
2 cuillerées à café d'herbes hachées
(cerfeuil, ciboulette, persil…)
sel
poivre

Faites cuire les pâtes al dente en suivant les indications sur le paquet. Égouttez-les et refroidissez-les sous l'eau froide. Mettez-les dans un saladier.

Lavez les courgettes, coupez les extrémités et râpez-les. Mélangez-les aux pâtes.

Épluchez les petits oignons. Dans une poêle avec l'huile chaude, faites revenir à feu doux les lardons et les petits oignons entiers pendant environ 10 minutes.

À l'aide d'une écumoire, retirez les lardons et les oignons de la poêle et déglacez le jus avec le vinaigre.

Versez le tout sur les pâtes et mélangez.

Préparez la vinaigrette. Dans un bol, mélangez le vinaigre avec l'huile et les herbes. Assaisonnez.

Versez la sauce sur la salade, mélangez, rectifiez l'assaisonnement et servez aussitôt.

LES PLUS

Cette salade accompagne volontiers le fromage et toutes les viandes.

Salade de pommes de terre aux échalotes

Pour 6 personnes

18 petites pommes de terre
(ratte ou belle-de-fontenay)
6 échalotes
1 dizaine de feuilles de basilic

Pour la vinaigrette aux pignons de pin :
3 cuillerées à soupe de vinaigre
balsamique
1 cuillerée à café de moutarde
à l'ancienne
9 cuillerées à soupe d'huile d'olive
2 œufs durs
50 g de pignons de pin
sel
poivre

Épluchez et émincez les échalotes.

Lavez les pommes de terre et faites-les cuire non épluchées pendant 10 minutes dans de l'eau, à la Cocotte-Minute ou à la vapeur. Égouttez-les et laissez-les tiédir. Épluchez-les et coupez-les en rondelles.

Ciselez le basilic.

Dans un saladier, mélangez les pommes de terre, les échalotes et le basilic.

Préparez la vinaigrette. Dans un bol, mélangez la moutarde avec le vinaigre. Écrasez les œufs durs dedans à l'aide d'une fourchette. Versez l'huile et ajoutez les pignons. Assaisonnez.

Versez la sauce sur les pommes de terre et mélangez.

Cette salade peut se préparer 3 heures à l'avance. Elle se conserve alors au réfrigérateur jusqu'au moment de servir. Dans ce cas, avant de servir, goûtez et rectifiez l'assaisonnement.

LES PLUS

La salade de pommes de terre accompagne volontiers les poissons, les viandes et la charcuterie.

Salade de carottes aux raisins et aux noix

Pour 6 personnes

6 carottes
30 g de raisins de Corinthe
et de Smyrne
30 g de cerneaux de noix

Pour la vinaigrette à l'amande :
2 cuillerées à soupe de vinaigre de xérès
6 cuillerées à soupe d'huile d'olive
ou de noix
1 cuillerée à soupe d'amandes
en poudre
2 cuillerées à soupe d'herbes hachées
(persil, cerfeuil, ciboulette…)
sel
poivre

Lavez et essuyez les raisins secs. Mettez-les dans un bol. Couvrez-les d'eau tiède et laissez-les gonfler.

Pelez, lavez et râpez les carottes.

Préparez la vinaigrette. Dans un bol, mélangez le vinaigre avec l'huile. Ajoutez l'amande en poudre puis les herbes. Assaisonnez.

Dans un saladier, mélangez bien les carottes avec les raisins égouttés, les cerneaux de noix concassés et la sauce. Rectifiez l'assaisonnement.

Vous pouvez présenter cette salade dans un demi-concombre évidé.

Cette salade peut se préparer 3 heures à l'avance. Elle se conserve alors au réfrigérateur jusqu'au moment de servir.

LES PLUS

Ces carottes accompagnent volontiers viandes blanches et volailles.

salade de riz aux tomates confites

Pour 6 personnes

300 g de riz blanc
250 g de tomates séchées
ou confites
12 tranches de salami
125 g de feta
1 dizaine de feuilles de basilic

Pour la vinaigrette au pesto :
1 cuillerée à soupe de pesto
1 cuillerée à soupe de vinaigre
balsamique
3 cuillerées à soupe d'huile d'olive
sel
poivre

Faites cuire le riz en suivant les indications sur le paquet. Égouttez-le et refroidissez-le sous l'eau froide.

Dans un saladier, mélangez le riz avec les tomates égouttées, les tranches de salami coupées en deux, la feta coupée en cubes de 1 centimètre de côté et les feuilles de basilic ciselées.

Préparez la vinaigrette. Dans un bol, mélangez le pesto avec le vinaigre. Ajoutez l'huile et assaisonnez.

Versez sur la salade et mélangez. Cette salade peut se préparer 3 heures à l'avance.

LES PLUS

Cette salade accompagne volontiers la charcuterie, les crustacés et le poisson.

salade de champignons au sésame

Pour 6 personnes

500 g de champignons de Paris
le jus de 1 citron

Pour la vinaigrette au sésame :
2 cuillerées à café de vinaigre de vin
1 cuillerée à café de moutarde forte
6 cuillerées à café d'huile de noix
ou de noisette
1 pincée de cumin en poudre
2 cuillerées à soupe de graines
de sésame
sel
poivre

Lavez rapidement les champignons sous l'eau et coupez le bout terreux des pieds.
Émincez-les, mettez-les dans un saladier et arrosez-les du jus de citron. Mélangez.
Préparez la vinaigrette. Dans un bol, mélangez la moutarde avec le vinaigre.
Ajoutez le cumin et les graines de sésame. Assaisonnez. Mélangez puis versez
l'huile.
Versez la sauce sur les champignons, mélangez et servez aussitôt.

LES PLUS

Cette salade accompagne volontiers les poissons.

Frisée aux lardons

Pour 6 personnes

1 salade frisée
200 g de lardons fumés ou nature
6 œufs
1 cuillerée à café de vinaigre
de vin

Pour la vinaigrette à l'échalote :
2 cuillerées à soupe de vinaigre
balsamique
1 cuillerée à café de moutarde forte
6 cuillerées à soupe d'huile d'olive
2 cuillerées à soupe de persil haché
2 échalotes
sel
poivre

Lavez et essorez la salade.

Préparez la vinaigrette à l'échalote. Dans un bol, mélangez la moutarde avec le vinaigre. Salez et poivrez. Ajoutez l'huile, le persil et les échalotes épluchées et émincées.

Dans une poêle, faites dorer les lardons sans matière grasse à feu moyen. En fin de cuisson, posez-les sur du papier absorbant.

Dans un saladier, mélangez la frisée avec les lardons puis répartissez dans six bols individuels.

Au moment de servir, préparez les œufs pochés. Portez une grande casserole d'eau à ébullition. Ajoutez-y le vinaigre. Baissez le feu pour que l'eau frémisse. Dans un bol, cassez un œuf, faites-le glisser doucement dans l'eau et laissez-le cuire environ 3 minutes. Vous pouvez cuire deux œufs en même temps. Si le blanc s'éparpille trop, prenez une cuillère et rabattez-le sur le jaune. Retirez les œufs à l'aide d'une écumoire et égouttez-les sur du papier absorbant.

Répartissez la sauce sur les salades puis disposez les œufs par-dessus. Servez aussitôt.

LES PLUS

La frisée aux lardons accompagne volontiers toutes les viandes.

Salade de concombre à l'emmenthal

Pour 6 personnes

2 concombres
1 botte de radis
200 g d'emmenthal

**Pour la vinaigrette au curry
et aux noix de cajou :**
1 cuillerée à café de moutarde forte
25 cl de crème fraîche épaisse
2 pincées de curry en poudre
le jus de 1/2 citron
50 g de noix de cajou
sel
poivre

Pelez les concombres et coupez-les en deux dans le sens de la longueur. À l'aide d'une cuillère, enlevez les graines à l'intérieur. Coupez les concombres en cubes de 3 centimètres de côté.

Nettoyez les radis et coupez-les en rondelles.

Coupez l'emmenthal en cubes de 2 centimètres de côté.

Mettez le tout dans un saladier.

Préparez la vinaigrette. Dans un bol, mélangez la moutarde avec la crème fraîche et le curry. Ajoutez le jus de citron. Mélangez. Assaisonnez et incorporez pour finir les noix de cajou concassées.

Versez sur la salade, mélangez et servez aussitôt.

LES PLUS

Cette salade accompagne volontiers la charcuterie, les crevettes, le poulet et les viandes blanches.

Salade Cæsar

Pour 6 personnes

2 batavias
4 œufs
1/2 baguette
150 g de parmesan
1 cuillerée à soupe de persil haché

**Pour la vinaigrette aux câpres
et aux cornichons :**
2 cuillerées à soupe de vinaigre
de cidre
1 cuillerée à soupe de moutarde
6 cuillerées à soupe d'huile d'olive
1 cuillerée à soupe de câpres
10 petits cornichons
sel
poivre

Faites cuire les œufs 8 minutes dans l'eau bouillante puis plongez-les dans l'eau froide pour stopper la cuisson et les écaler plus facilement.

Lavez et essorez la salade.

Coupez le parmesan en copeaux à l'aide d'un économe.

Découpez le pain en rondelles et faites-les griller sous le gril de votre four.

Préparez la vinaigrette. Dans un bol, mélangez la moutarde avec le vinaigre. Ajoutez l'huile, les câpres et les cornichons coupés en rondelles. Assaisonnez.

Dans un saladier, mélangez la salade, les œufs durs coupés en quatre, les croûtons, le parmesan et le persil. Versez la sauce, mélangez, rectifiez l'assaisonnement et servez aussitôt.

 LES PLUS

Cette salade accompagne volontiers le fromage et toutes les brochettes.

FROMAGES

Pommes de terre farcies à la raclette

Pour 6 personnes

6 grosses pommes de terre (bintje)
12 tranches de fromage à raclette
6 brins de ciboulette
sel

Pour la sauce au fromage blanc :
250 g de fromage blanc
à 20 % de matière grasse
6 brins de ciboulette
sel
poivre

Dans un faitout, faites cuire pendant 20 minutes dans de l'eau bouillante salée les pommes de terre préalablement lavées. Égouttez-les et laissez-les refroidir.

Préparez la sauce en mélangeant dans un bol le fromage blanc et la ciboulette ciselée. Assaisonnez, couvrez et réservez au réfrigérateur.

Coupez les pommes de terre en trois dans le sens de la longueur et farcissez-les de deux tranches de raclettes. Parsemez de ciboulette ciselée.

Enfermez chaque pomme de terre dans une feuille de papier d'aluminium et déposez-les sur la grille. Faites-les cuire pendant 15 minutes.

Servez aussitôt accompagné de la sauce.

LES PLUS

Ces pommes de terre me servent généralement d'accompagnement pour des viandes rouges ou des saucisses grillées nature.
Vin blanc conseillé : vin du Jura.

Tortellini en brochettes

Pour 6 personnes

350 g de tortellini au fromage
6 cuillerées à soupe d'huile d'olive
1 dizaine de feuilles de basilic
6 tranches de jambon cru
poivre du moulin
sel

Pour la sauce au parmesan :
25 cl de crème fraîche liquide
20 g de parmesan râpé
poivre du moulin

Faites cuire les tortellini dans de l'eau bouillante salée pendant 1 minute 30 environ. Égouttez-les et déposez-les dans un plat creux. Versez l'huile dans le plat, ajoutez les feuilles de basilic ciselées et le jambon découpé en lamelles. Poivrez et mélangez le tout. Égouttez les pâtes et le jambon et récupérez l'huile.

Piquez les tortellini sur six brochettes en les alternant avec les lamelles de jambon.

Déposez-les sur la grille et laissez-les cuire pendant 2 minutes en les retournant fréquemment et en les badigeonnant légèrement mais régulièrement de l'huile restante.

Pendant ce temps, préparez la sauce. Dans une casserole, faites chauffer à feu doux la crème pendant 1 minute et ajoutez le parmesan. Mélangez et poivrez. Servez dès que les brochettes sont prêtes. Cette sauce peut se préparer à l'avance, elle se conserve chaude au bain-marie.

LES PLUS

J'accompagne généralement ces brochettes d'une salade verte.
Vins rouges conseillés : montagne-saint-émilion ou juliénas.

Camembert à la braise

Pour 6 personnes

1 camembert au lait cru
1 cuillerée à soupe de miel liquide
ou 1 cuillerée à soupe de calvados
(facultatif)

Sortez le camembert de son papier d'emballage et remettez-le dans sa boîte. Retirez l'étiquette. À l'aide de la pointe d'un couteau, taillez une croix sur le dessus du camembert. Vous pouvez verser sur le camembert légèrement creusé 1 cuillerée à soupe de miel liquide ou 1 cuillerée à soupe de calvados. Refermez le couvercle.

Déposez-le sur la grille. Laissez cuire pendant 20 minutes jusqu'à ce que le couvercle se soulève.

Retirez le camembert du feu, ouvrez le couvercle et découpez la croûte.

LES PLUS

J'accompagne généralement ce camembert de morceaux de pain légèrement grillés et de pommes de terre vapeur.

Vins conseillés : morgon, châteauneuf-du-pape, pomerol rouge ou, pour les amateurs, un vieux porto.

Cheese naans

Pour 6 personnes

300 g de farine de blé
1 yaourt nature
1/2 sachet de levure chimique
1 cuillerée à soupe d'huile d'olive
2 pincées de curry
7 cuillerées à soupe d'eau tiède
6 portions de fromage fondu
(La vache qui rit, St Môret,
Kiri…)
1 pincée de sel

Dans un saladier, mélangez la farine avec le sel, la levure, l'huile, le curry et le yaourt. Mélangez le tout en y ajoutant petit à petit l'eau afin d'obtenir une pâte molle. Couvrez et laissez reposer à température ambiante pendant 10 minutes.

Divisez la pâte en six parts égales et aplatissez-les à la main en forme de galettes fines.

Posez une portion de fromage au milieu de chaque galette, repliez-la en quatre et aplatissez-la de nouveau à la main.

Déposez les cheese naans sur la grille et laissez-les cuire 3 minutes de chaque côté jusqu'à ce qu'ils soient cuits et gonflés.

Retirez-les de la grille et enveloppez-les dans du papier d'aluminium afin de les garder au chaud.

LES PLUS

Ces cheese naans me servent de pains pour l'accompagnement de mes plats.

Tartiflette en papillote

Pour 6 personnes

6 pommes de terre moyennes
(charlotte ou roseval)
ou 1,5 kg de pommes de terre
en cubes surgelées
2 oignons
250 g de lardons fumés
4 cuillerées à soupe d'huile
de tournesol
1 reblochon
poivre du moulin

Épluchez et coupez les pommes de terre en dés de 1 centimètre de côté. Épluchez et coupez les oignons en fines lamelles. Dans une poêle, faites dorer les oignons et les lardons dans l'huile pendant 5 minutes à feu moyen. Transvasez le mélange oignons-lardons dans un saladier en gardant la graisse dans la poêle. Dans la même poêle, mettez les pommes de terre et faites-les dorer jusqu'à ce qu'elles soient cuites. Mélangez-les aux oignons et aux lardons.
Préparez six larges feuilles de papier d'aluminium. Répartissez dessus le mélange de pommes de terre et poivrez.
Découpez le reblochon en morceaux et répartissez-le sur les pommes de terre. Fermez les papillotes et déposez-les sur la grille. Faites cuire pendant 20 minutes.

LES PLUS

J'accompagne généralement ces papillotes de salade verte.
Vin blanc conseillé : apremont.

Brochettes de crottins de chèvre

Pour 6 personnes

6 crottins de chèvre
6 fines tranches de poitrine fumée

Pour la marinade aux herbes :
4 feuilles de laurier
4 brins de thym frais
4 brins d'origan frais
4 brins de romarin frais
1 cuillerée à soupe de grains
de poivre noir
1/2 litre d'huile d'olive

Dans un grand bocal pouvant être fermé, déposez les crottins de chèvre avec le laurier, le thym, l'origan, le romarin et le poivre. Recouvrez d'huile et fermez. Laissez mariner au réfrigérateur de 48 heures au minimum à une semaine.

Égouttez les crottins et réservez l'huile. Enveloppez-les de poitrine fumée et piquez-les par trois sur deux brochettes.

Déposez-les sur la grille et laissez-les cuire pendant 3 minutes en les retournant fréquemment, tout en les badigeonnant légèrement mais régulièrement avec l'huile restante.

LES PLUS

J'accompagne généralement ces crottins de petits pains aux raisins ou de fougasses aux lardons et d'une salade verte assaisonnée avec la marinade aux herbes.
Vins blancs conseillés : sancerre ou vouvray.

Rouleaux de mozzarella farcis

Pour 6 personnes

6 feuilles de brick
375 g de mozzarella
4 cuillerées à soupe d'huile d'olive
12 tomates confites ou séchées
à l'huile
6 pincées d'origan
poivre du moulin

À l'aide d'un pinceau, badigeonnez rapidement les feuilles de brick avec l'huile.
Coupez la mozzarella en six morceaux. Parsemez d'origan et poivrez.
Déposez chaque morceau de mozzarella sur une feuille de brick, ajoutez deux tomates égouttées. Roulez les feuilles de brick et nouez les extrémités en les entortillant plusieurs fois.
Badigeonnez les rouleaux à nouveau avec un peu d'huile et déposez-les sur la grille. Faites-les cuire pendant 10 minutes tout en les retournant fréquemment.

LES PLUS

J'accompagne généralement ces rouleaux de mozzarella d'une salade de riz aux tomates confites (voir p. 119) ou d'une salade de tomates aux petits oignons.
Vin rouge conseillé : chianti.

Brochettes de cake aux quatre fromages

Pour 6 personnes

3 œufs
150 g de farine de blé
1 sachet de levure chimique
10 cl d'huile de tournesol
12,5 cl de lait entier
100 g de gruyère râpé
80 g de fourme d'Ambert
80 g de morbier
80 g de cantal
2 pincées de poivre

Pour la garniture :
1 sachet de mozzarella en billes
1 vingtaine de tomates cerises

Préchauffez votre four à 180 °C (thermostat 6).

Dans un saladier, mélangez au fouet les œufs, la farine, la levure et le poivre. Incorporez l'huile petit à petit et le lait préalablement chauffé. Ajoutez le gruyère et remuez. Écrasez la fourme et coupez le morbier et le cantal en petits morceaux. Incorporez le fromage dans la pâte et mélangez avec une spatule.

Versez le tout dans un moule à cake antiadhésif ou en silicone type Proflex Tefal de 26 centimètres non graissé et enfournez pendant 45 minutes.

Sortez le cake du four et laissez-le refroidir puis démoulez. Ce cake peut se préparer 3 jours à l'avance et se conserver emballé au réfrigérateur.

Découpez le cake en six tranches épaisses puis chaque tranche en quatre morceaux. Piquez quatre morceaux de cake sur chacune des six brochettes en les alternant avec les billes de mozzarella et les tomates cerises.

Déposez les brochettes de cake sur la grille et faites-les cuire pendant 3 minutes en les retournant fréquemment.

LES PLUS

J'accompagne généralement ces brochettes d'une salade de carottes aux raisins et aux noix (voir p. 115) ou d'un riesling en guise d'apéritif.
Vins rouges conseillés : côtes-du-ventoux ou pomerol.

DESSERTS

Ananas entier à la vanille

Pour 6 personnes

1 ananas

**Pour le sirop à la vanille
et au rhum :**
500 g de sucre semoule
1/2 litre d'eau
10 cl de rhum blanc
5 gousses de vanille

Un ananas dont l'écorce est jaune et dorée sera mûr et sucré à point. Ne le mettez pas au réfrigérateur mais gardez-le plutôt dans un endroit frais.

Retirez l'écorce de l'ananas tout en laissant les feuilles.

Dans une grande casserole, portez à ébullition l'eau et le sucre. Ajoutez le rhum et les gousses de vanille fendues en deux dans la longueur.

Déposez l'ananas entier dans le sirop et laissez mijoter à feu doux pendant 1 heure.

Égouttez l'ananas et déposez-le sur la grille. Faites-le cuire pendant 15 minutes en le retournant fréquemment.

LES PLUS

Vous pouvez servir cet ananas coupé en tranches avec une boule de glace à la vanille sur chaque tranche.

Brochettes d'abricots

Pour 6 personnes

18 abricots mûrs mais fermes

Pour la farce au macaron :
10 macarons à la pistache
50 g d'amandes en poudre
50 g de beurre mou
le jus de 1/2 citron

Lavez et essuyez les abricots. À l'aide d'un petit couteau, faites une petite fente et dénoyautez-les délicatement en évitant de trop les ouvrir.

Dans un saladier, écrasez les macarons avec une fourchette. Ajoutez les amandes en poudre, le beurre et le jus du citron. Mélangez.

Introduisez la préparation à l'intérieur de chaque abricot.

Piquez trois abricots sur chacune des six brochettes et déposez-les sur la grille.

Faites-les cuire 10 minutes en les retournant fréquemment.

Servez tiède ou froid.

LES PLUS

Vous pouvez servir ces abricots avec un coulis de fruits ou de la crème fouettée.

Brochettes des îles au coco

Pour 6 personnes

1 ananas victoria
3 bananes
3 kiwis
1 mangue
20 g de noix de coco râpée

Pour la marinade au sirop de canne :
20 cl de sirop de canne
le jus de 1 citron
2 cuillerées à soupe de rhum

Épluchez et coupez les fruits en cubes de 5 centimètres de côté. Mettez-les dans un plat creux avec le sirop de canne, le jus de citron et le rhum. Couvrez et laissez mariner au réfrigérateur pendant 30 minutes.

Égouttez les fruits et piquez-les en les alternant sur six brochettes. Saupoudrez de noix de coco.

Déposez-les sur la grille et faites-les cuire pendant environ 6 minutes en les retournant fréquemment.

LES PLUS

Vous pouvez servir ces brochettes avec une boule de glace à la noix de coco ou de la chantilly.

Bananes au chocolat

Pour 6 personnes

6 bananes mûres mais fermes
100 g de chocolat noir

À l'aide d'un petit couteau pointu, incisez chaque banane du côté incurvé. Écartez délicatement les bords et introduisez dans chaque banane quatre carrés de chocolat. Fermez à l'aide de deux bouts de ficelle, un à chaque extrémité.
Déposez les bananes sur la grille et faites-les cuire pendant 25 minutes jusqu'à ce que la peau noircisse.
Servez tiède.

LES PLUS

Vous pouvez remplacer le chocolat par de la pâte à tartiner.
Vous pouvez servir ces bananes avec une sauce au chocolat ou une boule de glace à la vanille.

Papillotes d'oranges à la braise

Pour 6 personnes

6 oranges

**Pour la marinade
au Grand Marnier :**
6 cuillerées à soupe de sucre roux
6 pincées de vanille en poudre
6 cuillerées à soupe
de Grand Marnier

Pelez les oranges en retirant soigneusement la peau blanche. Coupez-les en rondelles et roulez-les dans le sucre mélangé à la vanille.
Reconstituez chaque orange et posez-les chacune sur une double épaisseur de papier d'aluminium assez grande pour pouvoir être refermée et contenir l'orange. Remontez légèrement les bords du papier et versez-y le Grand Marnier. Fermez la papillote en faisant un petit tortillon au sommet du fruit.
Déposez les oranges dans la braise et laissez-les cuire pendant 15 minutes.
Servez tiède ou froid.

LES PLUS

Vous pouvez servir ces oranges avec de la crème fraîche ou de la sauce au chocolat.

Biscuits à la guimauve

Pour 6 personnes

24 sablés pur beurre
12 carrés de chocolat
12 guimauves ou Marshmallow

Déposez la moitié des sablés côte à côte sur un plateau. Posez un carré de chocolat sur chaque sablé.

Piquez les guimauves sur le bout des brochettes et faites-les griller pendant 1 minute au-dessus des flammes en les retournant fréquemment.

Mettez immédiatement une guimauve grillée sur chaque sablé couvert de chocolat et recouvrez d'un autre sablé. Appuyez légèrement pour que le chocolat fonde au contact de la guimauve.

Servez aussitôt.

LES PLUS

Vous pouvez remplacer le chocolat par de la pâte à tartiner.
Vous pouvez servir ces biscuits avec une salade de fruits ou une coupe de glace.

Pommes à la cannelle

Pour 6 personnes

6 pommes golden

Pour la farce à la cannelle :
180 g de beurre salé
75 g de sucre semoule ou de canne
2 cuillerées à soupe de cannelle
en poudre

Lavez les pommes et ôtez leur centre à l'aide d'un vide-pomme.
Mélangez le beurre, le sucre et la cannelle.
Remplissez le creux des pommes de ce mélange et emballez-les individuellement dans une feuille de papier d'aluminium et fermez en faisant un petit tortillon au sommet du fruit.
Déposez les pommes dans la braise dès le début du repas et laissez-les cuire pendant 1 heure 30.
Servez tiède ou froid.

LES PLUS

Vous pouvez servir ces pommes avec de la crème fraîche ou du fromage blanc.

Pêches farcies aux fruits secs

Pour 6 personnes

6 grosses pêches jaunes mûres
mais fermes

Pour la farce aux fruits secs :
40 g de sucre
40 g de beurre salé en pommade
40 g d'amandes en poudre
1 œuf
10 g de raisins de Corinthe
10 g d'amandes effilées
10 g de pistaches

Lavez les pêches. Coupez-les en deux et ôtez le noyau. Posez-les sur un plateau.

Lavez et essuyez les raisins secs, mettez-les dans un bol. Couvrez d'eau tiède et laissez gonfler.

Dans une poêle chaude et sans matière grasse, faites griller les amandes effilées pendant 30 secondes tout en remuant.

Dans un bol, mélangez à l'aide d'une cuillère en bois le sucre, le beurre, les amandes en poudre et l'œuf. Ajoutez les raisins égouttés, les amandes effilées et les pistaches.

Garnissez les demi-pêches de cette farce et déposez-les sur la grille. Faites-les cuire pendant 20 minutes. Servez tiède ou froid.

LES PLUS

Vous pouvez servir ces pêches avec une boule de glace à la vanille ou une crème anglaise.

Index des sauces, marinades et farces

Index des recettes

FROMAGES

DESSERTS

Où se procurer les accessoires

CAMPINGAZ
Tél. 01 53 32 72 72
www.campingaz.com

CULINARION
Tél. 01 41 90 09 11
www.culinarion.com

FRANCIS BATT
Tél. 01 47 27 13 28
www.francisbatt.fr

LA CARPE
Tél. 01 47 42 73 25
www.la-carpe.com

LE CREUSET
Tél. 0810 000 231
www.lecreuset.fr

MASTRAD
Tél. 08 25 95 96 95

RUECAB
Tél. 05 61 50 58 15
www.ruecab.com

TEFAL
Tél. 0810 774 774
www.tefal.fr

WEBER
Tél. 01 39 09 90 00
www.weber.com

Les adresses de Sophie

La moutarderie charentaise

M. Jérôme Dumoulin
17490 Gourvillette
Tél. 05 46 26 19 33 (VPC)
Fax 05 46 26 33 35
Des moutardes artisanales d'une rare originalité : au curry, à la vanille,
aux fruits des bois, aux algues… mais aussi des vinaigres, du sel de l'île de Ré…
N'hésitez pas à demander le catalogue.

Andouillette à la ficelle

Bertrand et Simon Duval

55, rue Marcellin-Berthelot   171, rue de la Convention
93700 Drancy   75015 Paris
Tél. 01 48 32 03 17   Tél. 01 45 30 14 08
Fax 01 48 32 55 27   Fax 01 48 32 55 27

Allez-y les yeux fermés, c'est la meilleure andouillette que je connaisse !!!

Escargots de Brotonne

Marylène et Jean-Michel Etourneau
Route de Hauville
27350 Routot
Tél. 02 32 42 89 86 (VPC)
e-mail : escargotbrotonne@aol.com
Si vous passez dans la région, je vous conseille d'aller visiter leur élevage
d'escargots. Bluffant !

Saravane

Florence Dubus
20 bis, rue des Pêcheries
33120 Arcachon
Tél. 05 57 52 13 21 (VPC)
Fax 05 57 52 18 17
Cette jeune femme a le goût de mélanger ses épices à merveille !
Plein de mélanges de saveurs pour vos barbecues (mélange grillades, cinq épices,
tandoori…).

Achevé d'imprimer en mai 2003
sur les presses de l'imprimerie Vincenzo Bona à Turin
Dépôt légal : mai 2003
Imprimé en Italie